Émilien Dufresne veut remercier son épouse Réjeanne et ses enfants pour l'appui sincère qu'ils lui ont donné tout au long de ce processus d'écriture. Un merci aussi plus particulier à Danielle pous sa participation active au projet. Merci à Septentrion qui rend ce rêve d'édition possible.

Danielle Dufresne remercie Vianney Gallant, Jean-Marie Fallu et Jacques Lemay pour leurs commentaires judicieux.

À Christian & Kim
merci de me lire
25-12-05

Emelien Dufresne

CALEPIN D'ESPOIR

Danielle Dufresne
Émilien Dufresne

CALEPIN D'ESPOIR

 SEPTENTRION

Les éditions du Septentrion remercient le Conseil des Arts du Canada et la Société de développement des entreprises culturelles du Québec (SODEC) pour le soutien accordé à leur programme d'édition, ainsi que le gouvernement du Québec pour son Programme de crédit d'impôt pour l'édition de livres. Nous reconnaissons également l'aide financière du gouvernement du Canada par l'entremise du Programme d'aide au développement de l'industrie de l'édition (PADIÉ) pour nos activités d'édition.

Illustration de la couverture : Émilien Dufresne. Photo prise en 1943 à Pointe-à-la-Frégate lors de sa dernière visite avant de quitter pour l'Europe ; il avait 20 ans. (Archives personnelles de la famille Dufresne)

Révision : Solange Deschênes

Mise en pages et maquette de la couverture : Folio infographie

---

Si vous désirez être tenu au courant des publications
des ÉDITIONS DU SEPTENTRION
vous pouvez nous écrire au
1300, avenue Maguire, Sillery (Québec) G1T 1Z3
ou par télécopieur (418) 527-4978
Catalogue internet : www.septentrion.qc.ca

© Les Éditions du Septentrion
1300, avenue Maguire
Sillery (Québec)
G1T 1Z3

Diffusion Dimedia
539, boul. Lebeau
Saint-Laurent (Québec)
H4N 1S2

Ventes en Europe :
Librairie du Québec
30, rue Gay-Lussac
75005 Paris
France

Dépôt légal – 1er trimestre 2003
Bibliothèque nationale du Québec
ISBN 2-89448-346-5

PRÉFACE

CETTE BRÈVE PRÉFACE n'a son utilité que pour mieux situer le lecteur et lui offrir des repères dans le témoignage qu'Émilien Dufresne fait de sa précieuse expérience en temps de guerre. Au moment où notre personnage s'engage comme volontaire dans l'armée canadienne au mois de juillet 1941, à l'âge de 18 ans, le Canada est déjà en guerre depuis presque deux ans.

Cette guerre ne fait d'ailleurs pas consensus au Québec. Les milieux nationalistes reprochent au gouvernement canadien sa décision d'y entrer davantage pour protéger les intérêts de l'empire britannique que ceux du pays. Néanmoins, pour Émilien, la guerre est bien réelle. Chez lui en Gaspésie la population s'inquiète des manœuvres des sous-marins U-boot qui se sont infiltrés profondément dans le golfe jusqu'au large de Métis et de Cap-Chat, semant la panique chez les pêcheurs et les marins.

En avril 1942, lorsqu'Émilien Dufresne s'embarque à Halifax pour traverser en Angleterre, la bataille de l'Atlantique fait rage. Les navires doivent se former en convois pour affronter la mer infestée par les terribles sous-marins allemands. La traversée dure une dizaine de jours. Les attaques surviennent surtout dans le secteur du « trou noir », zone qui ne peut être atteinte par les avions alliées. Les agressions des U-boot se font alors en surface, la nuit. Au cours de cette année, sur les soixante-douze navires qui ont quitté le port sous bonne escorte, les submersibles allemands en ont coulé plus de trente.

Pour ces jeunes soldats, chaque levée du jour leur apparaît comme une victoire arrachée à la mort sur cet océan envahie par les lance-torpilles ennemis.

Pour notre recrue habituée aux paysages bucoliques de son Québec rural, l'Angleterre, terre d'accueil, témoigne plutôt de l'horreur des récents bombardements allemands. Les ports de Southampton, de Liverpool, de Bristol et de Plymouth se relèvent péniblement des offensives ennemies. La plupart de leurs infrastructures portuaires ne sont qu'à demi opérationnelles. En plusieurs endroits, les arsenaux ne sont souvent qu'amas de ruines. Pour ce visiteur, on est loin des clichés de cette Angleterre fière, commerçante, prospère qu'une brume diaphane enveloppe.

Les grandes villes du pays n'ont pas été épargnées par le désastre. La plupart ont été soumises aux raids massifs et répétés de la Luftwaffe au cours des années 1940 et 1941. Ces attaques que les Anglais ont appelées le « blitz » visaient à détruire les plus importants centres urbains, à paralyser l'industrie, tout en tentant de briser le moral de la population. Selon les estimations, le blitz allemand aurait fait plus de 50 000 victimes, dont la moitié pour la seule ville de Londres. En 1942, quand Émilien Dufresne arrive en Angleterre, les dégâts matériels sont considérables aussi dans les villes de Birmingham, de Sheffield, de Leeds et de Hull. La ville de Coventry est presque totalement anéantie. Les monuments historiques de la capitale comme l'abbaye de Westminster, le Palais de justice, la fameuse Tour de Londres et la plupart des ministères ont été touchés.

La ville de West Ham se présente aux soldats étrangers comme une banlieue déserte que l'armée utilise comme terrain d'entraînement.

Bientôt, on affecte les Canadiens dans le sud-est de l'Angleterre où alternent les pratiques à la guerre d'assaut et les exercices de surveillance des côtes en cas d'éventuelles invasions.

Entre-temps, la conjoncture internationale se modifie considérablement. L'Angleterre n'est plus la seule grande puissance à résister à l'assaut des forces de l'Axe. En effet, l'Union soviétique, depuis l'invasion de son territoire par l'Allemagne en juin 1941, et les États-Unis, suite à l'attaque de Pearl Harbor en décembre 1941, ont définitivement rejoint le camp anglais. Dorénavant, pour les alliés, le principal ennemi est l'Allemagne.

L'énorme machine de guerre industrielle des États-Unis se met alors en branle. Ses chantiers navals doivent devancer l'industrie allemande afin d'approvisionner, le plus rapidement possible en armes et en mutinions, son principal allié, l'Angleterre. L'industrie aéronautique doit permettre à l'aviation alliée la supériorité aérienne. La maîtrise des mers et des airs conjuguées doit ouvrir enfin la conquête du continent. Dans l'attente de ces résultats, l'effort américain se prête à la stratégie périphérique préconisée par l'Angleterre en conduisant les débarquements en Afrique du Nord en 1942, en Sicile en juillet 1943 et dans la péninsule italienne en septembre 1943.

À ce stade, la principale question qui se pose aux troupes qui s'entassent en Angleterre est de savoir quand on procéderait à l'ouverture d'un solide second front à l'ouest, front qui viendrait menacer directement le cœur de l'Allemagne. Déjà, deux ans auparavant, un plan avait été conçu, comportant d'abord un débarquement là où l'adversaire est le plus puissant, en France, suivi de la destruction d'une grande partie de l'armée allemande, puis de l'invasion de son territoire. Ainsi, le Reich serait contraint de capituler sans conditions.

Donc, à la fin de l'année 1943, la première partie de ce plan se concrétise. Les préparatifs de l'opération *Overlord,* nom de code du débarquement, vont bon train. Le général Eisenhower est nommé commandant en chef de la plus colossale entreprise militaire de tous les temps : plus de deux millions de combattants de divers pays, 10 000 bateaux dont plus de 700 navires de guerre, 18 000 avions de combat. Ces chiffres, qui demandent un réel effort d'imagination, donnent les dimensions de cette mission.

C'est dans ce contexte que près de vingt mille Canadiens provenant des quatre coins du pays furent mis à contribution tout en poursuivant un entraînement implacable et intensif. Tous les exercices de ce débarquement sont minutieusement et méthodiquement réglés par des stratèges militaires. Leurs compétences sont mises à rude épreuve sur les hauts plateaux de l'Écosse, les Highlands.

Malgré les préparatifs exemplaires de cette invasion et la volonté de vaincre de ces jeunes recrues, on ne peut s'empêcher de penser aux obstacles qu'ils auront à surmonter lors du débarquement. Le «mur de l'Atlantique» fortifié depuis quatre ans par l'ennemi représenterait la principale hantise des troupes alliées : côte hérissée de blockhaus blindés, de casemates, de nids de mitrailleuses et de canons, mines et barbelés. Et que dire de l'armée allemande : qualité de commandement, valeur de l'armement, capacité de manœuvre, pugnacité de ses soldats aguerris, alors que la plupart des soldats du camp allié affronteraient le feu pour la première fois.

Retardée en raison du mauvais temps, la plus grande opération amphibie de tous les temps s'ébranle enfin des côtes anglaises dans la nuit du 5 au 6 juin 1944. L'objectif est d'établir une solide tête de pont sur la côte normande. C'est là que débarquent ou sont parachutées les premières vagues d'assaut canadiennes, britanniques et américaines sans que les Allemands, surpris, ne parviennent à les rejeter à la mer.

Le débarquement est un franc succès. Le «mur de l'Atlantique» ne tient pas. Les troupes d'assaut et les chars prennent pied sur la plage surmontant une défense allemande opiniâtre, mais insuffisante. Le succès tient également à une supériorité aérienne totale. À la tombée du premier jour, pas moins de dix divisions, soit environ 200 000 hommes, ont débarqué avec armes et bagages. On compte, néanmoins, 11 000 tués ou blessés.

On pourrait croire que le rouleau compresseur allié, une fois lancé, est assuré d'une victoire rapide et facile. Rien n'est moins conforme à la réalité. L'opération subit quelques ratés sous le coup de l'excessive prudence de son commandement, des problèmes de logistique, sans compter l'acharnement de la résistance allemande. Selon le plan initial, la ville de Caen, considérée comme la porte de sortie de la Normandie vers Paris, était prise dès le premier jour. Il a fallu attendre plus d'un mois, soit le 9 juillet, avant qu'elle ne soit libérée. Sept longues semaines ont dû s'écouler avant que la percée du front allemand cède à Avranches.

C'est dans l'imbroglio du succès des premières heures que le destin d'Émilien Dufresne et de quelques-uns de ses compagnons bascula. Une patrouille ennemie les fait prisonniers. Pour ces hommes commence un long itinéraire d'une dizaine de mois de captivité, marqué par la faim, le froid, l'angoisse, l'incertitude du lendemain, sous les vexations et les humiliations de leurs geôliers. Déportés en cette Allemagne meurtrie et de plus en plus désorganisée, les prisonniers sont utilisés comme main-d'œuvre dans les industries ou sont réquisitionnés pour réparer les voies de communication constamment pilonnées par l'aviation alliée. Au cours de 1945, même si Émilien voit ses conditions de détention s'aggraver à mesure que la guerre se rapproche des frontières allemandes, il garde un ferme espoir de sa délivrance, d'autant plus que les rumeurs qui lui parviennent annoncent les victoires du camp allié.

Toutes les chroniques, les études ou les analyses scientifiques peuvent être utiles pour mieux appréhender la réalité que les otages de cette guerre ont endurée, mais rien ne vaut le récit de cette mémoire humaine pour en approfondir son intensité. À nous d'y réfléchir pour en faire un ferment de l'avenir.

JACQUES LEMAY, historien
Professeur à l'Université
du Québec à Rimouski
Septembre 2002

AVANT-PROPOS

Q UAND J'ÉTAIS JEUNE, mon père était très avare de commentaires sur ce qu'il avait vécu lors de la Deuxième Guerre mondiale. Nous savions, mes frères et sœurs et moi, qu'il avait été soldat très jeune, qu'il s'était enrôlé volontairement, qu'il était allé en Angleterre et avait été fait prisonnier des Allemands. Il nous avait dit qu'il avait beaucoup marché et très peu mangé. Quand nous insistions pour avoir des détails, mon père nous disait que ce n'était pas important, ou qu'il avait d'autres choses à faire. Souvent, il demeurait tout simplement silencieux. Dans ces moments-là, ma mère nous lançait un coup d'œil de côté que nous comprenions bien, et on le laissait tranquille.

À l'âge de 17 ans, j'étudiais au Cégep du Vieux-Montréal en philosophie. J'aimais bien jongler avec les pensées et les mots, encore faut-il spécifier qu'en 1974-1975 dans les cégeps, enfin celui où j'allais, les pensées philosophiques étaient résolument orientées vers le marxisme-léninisme.

Tous mes professeurs (sauf celle qui nous parlait des anciens Grecs) nous enseignaient qu'il n'y avait point de salut pour la race humaine en dehors de la révolution prolétarienne. Mon père était menuisier. J'ose imaginer qu'il travaillait beaucoup et sûrement très fort, car, dès vingt heures, il était couché et le matin quand je me levais pour l'école il était déjà parti travailler. Je me souviens aussi que, l'hiver, il mettait son cadran, il se levait vers trois heures du matin, il s'habillait et sortait dehors au froid et au vent afin de faire démarrer son auto et réchauffer le moteur quelques minutes pour être certain qu'il pourrait la faire partir au matin pour aller à l'ouvrage. À cette époque de mon cégep et des prolétaires unis, ma mère travaillait en manufacture, puisque le dernier de ses six enfants avait commencé l'école, et je travaillais aussi avec elle de 18 heures à 2 heures du matin. Toujours est-il qu'un jour j'arrive au souper avec la grande nouvelle, je détiens la solution à tous les problèmes : la fameuse révolution prolétarienne, la lutte armée, faisons payer les riches !

Quel désastre ! Je n'avais jamais vu mon père aussi furieux. Il me criait de me taire.

— Une révolution, c'est une guerre ! Tu ne sais pas de quoi tu parles ! T'es complètement folle! Où es-tu allée chercher une connerie pareille?

J'ai quitté la cuisine en pleurant et je suis allée me réfugier sur la galerie d'en avant du triplex que nous partagions avec toute une rue de voisins, en criant que j'avais le droit d'exprimer mon opinion.

— Pis c'est toi qui ne comprends rien, laisse-toi donc exploiter si ça fait ton affaire, je m'en fous!

★ ★ ★

Quelques années plus tard, j'avais 20 ans. Nous décidons, mon chum Denis et moi, d'aller faire le tour de la Gaspésie à vélo. Avant notre départ, mon père me demande d'arrêter à Causapscal lorsque j'y passerai et de vérifier si Grégoire Veilleux, un ancien compagnon d'armes, est encore là. Arrivés dans ce beau village de la vallée de la Matapédia, nous nous informons auprès du monsieur du dépanneur, et il nous explique où le trouver.

— Celui qui est vétéran de la guerre, oui oui, vous avez juste à aller par là.

On frappe à la porte de la petite maison unifamiliale (comme il y en a beaucoup dans les nouveaux développements résidentiels), on se sent un peu nerveux, nous arrivons quand même chez de parfaits inconnus. Une femme de l'âge de ma mère nous répond.

— Bougez pas, bougez pas, oh! Qu'il va être content! Grégoire, viens, un de ces jeunes est l'enfant d'un ancien compagnon d'armes.

C'est tout ce qu'elle lui donne comme informations; un de nous est l'enfant de quelqu'un qu'il a connu dans l'armée il y a trente-cinq ans déjà. Monsieur Veilleux s'approche, je me souviens qu'il était tout maigre, tout en longueur et en menton, ses yeux étaient un peu enfoncés dans des orbites bien entourées de sourcils encore foncés. Il avait une allure complètement différente de celle de mon père, qui lui était plutôt rond, sa bouche parée d'une petite moustache, le teint rose et les yeux bleus profonds. Monsieur Veilleux nous examine l'un et l'autre, il est silencieux, il semble concentré sur ses souvenirs. Denis et moi, on ne bouge pas, on ne risque ni un geste ni un sourire, on attend le verdict. Est-ce un jeu? Est-ce sérieux? Je ne me souviens plus très bien comment je me sentais exactement à ce moment précis mais, brusquement, il ressort de sa léthargie, son regard reprend vie, se rallume, il me fixe bien droit dans les yeux et il me dit très sûr de lui:

— Toé, t'es la fille d'Émilien Dufresne.

Quelle émotion pour lui! Mais quelle émotion pour moi aussi! Mon père avait 20 ans la dernière fois que monsieur Veilleux l'avait vu et, moi, j'avais 20 ans ce jour-là, devant lui, et il reconnaissait mon père à travers moi. Le choc de cette ressemblance que je n'avais jamais soupçonnée m'a profondément touchée. Évidemment, il nous a gardés à souper, à coucher et à déjeuner le lendemain. Mais le plus surprenant est qu'il nous a parlé de la guerre. Il nous a raconté des anecdotes vécues par lui et mon père. Il nous a confié la faim, la peur, le bruit, les armes, les navets, enfin plein de détails que mon père avait vécus et que jamais nous n'avions sus. Il nous a tout raconté!

Au fur et à mesure que le temps passait, ma compréhension des grands événements internationaux évoluait. Un jour, j'ai ressenti le besoin de remercier mon père d'avoir combattu. De s'être engagé dans cet effort collectif pour freiner l'avancée d'un personnage dangereux avec une idéologie dévastatrice. Je crois que cette reconnaissance l'avait ému et qu'elle a dû probablement le réconcilier avec son propre passé. Depuis quelques années, mon père a commencé à nous parler davantage de cette période de son existence. Il semble vouloir partager avec nous, ses enfants, des moments précis, des détails captivants, des anecdotes émouvantes. Nous l'écoutons, surpris, excités et fiers de son courage, de sa force et de sa persévérance. Enfin, en 1998, il décide d'entreprendre l'écriture de ses mémoires.

Il veut raconter l'enrôlement, l'entraînement, la traversée, le débarquement, la vie de prisonnier, la libération et le retour. Tout écrire à la main, à 77 ans. Tout se remémorer dans les moindres détails s'inspirant aussi des quelques pages qu'il a pu écrire sur place et ramener jusqu'à aujourd'hui dans ses petits bagages. Se rappeler ces images du passé qui sont plus souvent qu'autrement tristes à mourir. Il souhaite finalement tout partager avec nous.

— J'aurais pu mourir moi aussi, et tu ne serais pas là aujourd'hui, me disait-il.

C'est vrai, il aurait pu se passer des millions de choses différentes, tout aurait pu être autrement. Il s'installe dans la chambre aménagée pour nous, ses enfants, au deuxième étage de sa maison en Gaspésie. Il y monte un peu chaque jour et il écrit. Il se rappelle. Il en parle avec ma mère. Il revit toutes ses aventures. Il écrit longtemps, il écrit un gros document. Aussitôt qu'il eut terminé le récit de ces quelques années de sa vie, il me l'a remis en me demandant si je pouvais «l'arranger» pour peut-être en faire un livre. Est-ce possible?

J'étais encore une fois interpellée de près, très émue de faire ce travail pour lui. J'étais aussi fière d'être associée à ce grand projet, à ce rêve. Mais, il faut bien le dire, c'était une sacrée responsabilité qu'il me donnait. «Tiens, Danielle, arrange-le», qu'il me disait. Seigneur que j'ai trouvé cela difficile. Comment aborder ce texte, une histoire vraie, écrite par un vieux monsieur de 77 ans racontant l'étape de sa vie alors qu'il n'en avait que 18?

C'est une histoire vraie, c'est l'histoire de mon père. C'est aussi une histoire de guerre. Un patrimoine familial, une époque de notre histoire collective. Je me sens davantage portée à prôner la paix, je déplore les guerres, elles me font mal, me font douter de la bonté des êtres humains, me laisse songeuse quant à la force réelle de l'amour. Je rêve d'un monde harmonieux où les différences pourront s'épanouir au contact les unes des autres. Je fais personnellement des efforts dans ce sens, même si cela oblige de temps en temps le sacrifice de quelques amitiés. Je souhaite que la peur cesse de trôner comme un gros nuage annonciateur de tempêtes dans un ciel encore indécis. Pourquoi écrire des souvenirs de guerre? Comment les écrire? La guerre de mon père est finalement une guerre vue de l'intérieur, vécue par un jeune homme sans haine viscérale qui l'accompagne depuis le berceau, sans idéologie qui remplace le biberon par un drapeau, sans rancœur ni vengeance pour libérer le cœur. Une guerre qui devient une aventure personnelle et qui est racontée comme telle.

Enfin, écrire des souvenirs de guerre pour qu'elle cesse un jour. Pour tenter de stimuler des gestes de paix et d'amour. Pour avoir l'impression d'être capable d'influencer le cours des événements dans un monde où l'on se sent si souvent perdu et impuissant. Si on regarde bien ce qui se passe aujourd'hui avec toutes les guerres et les conflits qui perdurent et qui continuent de faire souffrir, ces mots de réconfort qui soulèvent des désirs de plus grande solidarité et de compréhension entre les peuples ne sont certainement pas vains. Les mots comme « punition », « vengeance » et « guerre » montent encore très vite des lèvres aux armes. Nous avons grand besoin d'une parole de mémoire qui saura toucher notre humanité. Pourquoi écrire des souvenirs de guerre ? En offrande à la paix dans le monde qui est désormais la quête de mon père, grand-père de mon fils.

Pour la pérennité de la vie !

DANIELLE DUFRESNE
Février 2002

PROLOGUE

J
E SUIS ASSIS dans ma chaise berçante et je regarde dehors. Je suis parfaitement bien installé pour voir tout ce qui se passe dans la rue. En fait, il se passe peu de chose car, dans mon village de la Gaspésie, la vie est plutôt lente. Les événements avancent au même rythme que les pensées. C'est en flânant ainsi qu'un beau jour j'ai décidé de raconter une partie de ma vie.

Je me suis dit: «Émilien Dufresne, tu vas raconter ton aventure.» Je suis conscient qu'elle est beaucoup plus tumultueuse que cette tranquillité dans laquelle je me berce aujourd'hui, mais je ne me sens pas nostalgique, car je ne serais probablement plus capable de suivre un rythme aussi mouvementé. Je pense que cette expérience du temps de ma jeunesse peut intéresser certaines personnes. Il y a des gens qui me demandent de leur dire comment cela s'est passé durant la guerre. Il y en a beaucoup qui sont curieux de connaître comment un jeune homme d'à peine 18 ans a pu traverser une épreuve semblable.

En fait, c'est une bonne question! J'imagine que, quand je m'arrêtais pour y penser, je devais avoir peur. Je ne me souviens plus très bien mais, à 18 ans, c'est la vie qui grouille dans le sang — l'angoisse appartient aux plus vieux —, on dirait qu'elle se développe au fur et à mesure que la peau se ratatine. Le danger est une notion que la jeunesse a bien de la misère à intégrer. C'est le propre de la génération nouvelle de frôler les catastrophes sans en être tout à fait conscient. Pour moi, à 18 ans, c'était sans doute la même chose. Je devais avoir une conscience assez floue de la réalité que je venais de choisir. Probablement que mon analyse politique des grands enjeux de ce conflit devait être assez sommaire. Peut-être que la fougue naturelle et la curiosité, le goût de bouger, de voyager résonnaient plus fort dans ma tête. Tuer ou être tué, je crois que cela ne m'a pas véritablement effleuré l'esprit à ce moment-là. C'est une bonne question, vraiment; dans la suite de mon récit, je tenterai d'y porter attention. À regarder par la fenêtre, je me rappelle. Je me rappelle pour mes petits-enfants. À 79 ans, je souhaite poser une acte de mémoire et le transmettre à mes descendants.

ESPOIR DE L'AILLEURS

CHAPITRE I

L'ENGAGEMENT

JE SUIS DANS LE BOIS à L'Anse-Pleureuse, un nom très romantique bercé par la légende d'une jeune Française d'un autre temps qui aurait été abandonnée sur la berge sans son amant. Se sentant seule et triste, elle mêlait ses larmes à l'eau qui donne vie à cette anse. J'ai 18 ans, il fait chaud, je suis là depuis deux semaines à couper du bois de quatre pieds, celui qui sera transformé en papier journal et vendu à nos voisins du Sud. Je me sens bien, c'est mon premier travail hors de chez moi. La maison de mes parents est à Pointe-à-la-Frégate, un petit village gaspésien perché sur la pointe la plus avancée du fleuve Saint-Laurent, ce qui me permet de profiter des paysages extraordinaires de la grandeur océane, mais aussi de vents plutôt violents une bonne partie de l'année. Le travail de bûcheron est dur, surtout pour un jeune homme sans expérience comme moi. J'ai de la misère à affûter ma scie, une scie qui fonctionne à bras. Il faut pousser et tirer sans relâche pour arriver à se tailler un petit salaire. Les journées, en vérité, se ressemblent toutes, sans pour autant me paraître monotones. Et puis, qu'est-ce que je pourrais faire d'autre ? Le matin, après un copieux déjeuner, je repars avec mon dîner dans un sac et des galettes en réserve pour la collation de l'avant-midi. Je coupe sans arrêt et cela me demande beaucoup d'efforts. Je prends la scie bien aiguisée et j'y vais d'un mouvement de va-et-vient qui creuse les arbres jusqu'à ce qu'ils tombent vaincus à mes pieds.

La routine du soir prolonge celle de la journée. Dans ce camp isolé, situé à un bon mille de marche du village le plus proche, au fond d'un petit sentier étroit bordé d'arbres qui ont pu éviter les dents de nos croqueuses de bois, après une bonne douche revigorante et un souper abondant, nous n'avons que peu de chose à faire. C'est justement en soupant, ce 24 juillet 1941, que j'entends les gars dire qu'il y a un groupe de soldats et d'officiers posté à Sainte-Anne-des-Monts pour faire du recrutement et le bruit court qu'il serait à Cloridorme le 26. J'ai deux jours pour retourner chez moi. Je n'ai pas de temps à perdre, ma décision est prise.

Après le souper, je pars avec Poitras de Mont-Louis, celui qui livre la nourriture au camp. On arrive à Mont-Louis dans la soirée, je couche à l'hôtel de la compagnie qui ne coûte rien aux employés. Le lendemain matin, après un excellent déjeuner à l'aube, je passe au bureau du commis, il me paie les 85 dollars que j'ai gagnés en quinze jours et, avec mes quelques bagages bien accrochés à la ceinture, je prends la route à pied, bien décidé à arriver à temps. Par un coup de chance, de Manche-d'Épée à Grande-Vallée, j'ai un «lift» d'un dénommé Fournier, ce qui me fait gagner beaucoup de temps. Je continue les derniers milles à pied, en marchant à vive allure, faisant une pause de quelques minutes de temps en temps pour reprendre mon souffle et du même coup pour me permettre d'admirer ces montagnes sublimes et le bleu tranquille de ce fleuve que je m'apprête à quitter. Finalement, je suis arrivé à la maison de mon père vers 9 heures le soir. Je ne dis à personne ce que j'ai en tête.

Ma mère, Martine, me regarde d'un air perplexe et me dit:

— Pourquoi t'es revenu, t'aimais ça ton travail!

— Ben oui, je règle quelques affaires et j'y retourne, que je lui réponds sans oser la regarder.

Je lui remets 50 des 85 dollars que j'ai gagnés et, un brin nerveux, me sentant un peu coupable de changer ma vie sans lui demander son avis, je monte me coucher.

★ ★ ★

Le lendemain, le 26, jour J pour mettre enfin mon projet à exécution, je prends un taxi et je me rends à l'église de Cloridorme là où se sont installés les soldats et les officiers recruteurs. Il faut croire que notre curé n'était pas contre l'enrôlement des jeunes Canadiens français, car son église est toute parée expressément pour l'armée canadienne. Le chauffeur de taxi, Henri Côté, me demande

— Coutt' donc, Milien, qu'est-ce que tu vas faire là ?

— Je m'en vais dans l'armée, que je lui réponds sur un ton badin.

Sans m'en glisser un mot, le sapré coquin retourne en douce et revient vingt minutes plus tard, accompagné de mes parents.

— Qu'est-ce que tu viens faire icitte ? me demande mon père, les yeux en feu, déjà prêt à me ramener par le fond de culotte.

— Je m'en vais dans l'armée, que je lui réponds tout aussi nonchalamment.

Mon père, Émile, est vétéran de la Grande Guerre. Il a combattu à Verdun, et je sais qu'il n'est pas très content de mon idée. Cependant, ma décision est prise et, de toute façon, je n'ai pas besoin de sa permission.

Le choc est davantage pour ma mère, Martine. Elle pleure, elle s'inquiète déjà de tout ce

Émile Dufresne, père et grand-père des auteurs, est né en
1885. Il a été combattant volontaire lors de la Première
Guerre mondiale. Il a combattu en Europe dans un bataillon
ontarien. À son retour de guerre il est revenu s'installer
dans son village natal, Pointe-à-la-Frégate, où il est décédé
en 1967 à l'âge de 82 ans.
(Archive personnelle de la famille Dufresne)

qui pourrait m'arriver. Je me rends compte, juste à regarder ses beaux yeux bleus tout rougis, qu'elle trouvera mon absence difficile. Je sais qu'elle pleure déjà sur tous les malheurs qui vont m'arriver. Je vois tous les scénarios horribles qui prennent forme dans sa tête. Je me vois blessé, le corps en sang, porté disparu et pourquoi pas prisonnier... Elle sait, c'est une mère, que la guerre n'est pas un jeu et bien qu'étant l'aîné de ses garçons, à 18 ans, je suis encore son petit enfant. Comment la consoler, je me sens bien impuissant, très loin de ma première victoire.

— Viens maman, je lui prends le bras et, pour la première fois, je la sens moins solide, plus petite, chétive. Ou peut-être est-ce moi qui ai grandi tout d'un coup.

— Viens on va aller prier ensemble dans l'église. La bonne sainte Anne me protégera, tu vas voir, tout va bien aller.

* * *

Le voyage de recrutement dont je fais maintenant partie continue son périple de village en village tout autour de la péninsule gaspésienne. À chaque arrêt, quelques hommes et jeunes hommes joignent volontairement les rangs de l'armée canadienne. Partout, on répète le même scénario ; on rencontre les autorités locales, on circule dans les rues avec des affiches et des haut-parleurs et on repart toujours un peu plus nombreux qu'à l'arrivée. La Citadelle de Québec est notre dernière destination. Là, ils nous font passer toutes sortes d'examens. En fait, ils me scrutent des pieds à la tête. Je suis jeune et en bonne santé, je signe sans hésitation mon engagement. Ils m'habillent d'un bout à l'autre et je suis transféré à Valcartier.

L'apprentissage de la vie un peu plus rude doit se faire assez rapidement, car ils sont pressés, dans l'armée, de nous voir briller comme des pépites de diamants. Nous sommes trente dans la baraque qui m'est assignée, trente gars bien alignés avec une seule obsession, toujours plus oppressante jour après jour, faire notre lit comme la championne mondiale des concierges de grand hôtel. Pas un faux pli ne doit paraître ailleurs que sur notre visage, tout plissé, lui, sous les efforts à fournir. À notre premier combat, il nous faut vaincre les couvertures. Lorsque ce défi est enfin relevé, je ne tarde pas à constater que l'entretien de l'uniforme est lui aussi alourdi d'un rituel en éternel recommencement. Nous devons faire resplendir nos boutons et nos bottes comme une belle pièce d'argenterie coincée, sur une magnifique table de bois d'ébène, dans un rayon de soleil. J'apprends vite, je ne m'en fais pas, mais je pense bien qu'au fond ces vêtements cesseront un jour de se pavaner orgueilleux comme un jeune marié.

* * *

Le camp le plus près de chez moi pour réaliser la prochaine étape se trouve à Rimouski. Évidemment, dans ce camp 55, je rencontre plein de jeunes de la Gaspésie : un Samuel de Saint-Maurice, un Dupuis de Rivière-au-Renard, un Côté de Saint-Majorique, les frères Fournier et plusieurs autres qui, comme moi, ont décidé d'affronter cette dure réalité du combat que voulait jouer l'humanité. Cependant, la guerre est encore loin de nous, malgré l'uniforme et la vie dans cette base militaire ; elle n'apparaît pas encore très réelle, elle demeure l'objectif un peu flou qui semble justifier ma présence dans ce camp. Nous marchons sans arrêt, tous les jours. Je suis préparé, petit à petit et presque à mon insu, à apprendre à réagir à des douleurs dans lesquelles je serai certainement plongé un jour ou l'autre. Ne suis-je pas dans l'armée, dans un monde en guerre depuis déjà un peu plus de deux ans ? En plus de cette marche constante, il faut renforcer nos corps. L'entraînement en gymnase me permet de découvrir ce corps. À tout moment, j'explore des parties cachées, totalement insoupçonnées et qui se manifestent d'une manière lancinante dès que je descends du lit chaque matin. En manipulant la carabine, la mitrailleuse, le mortier et les grenades, je prends de plus en plus conscience que tous ces engins mortels ne me serviraient probablement pas à tirer sur quelques petits animaux errants dans le sous-bois derrière mon village. Après l'apprentissage de la boussole et de la lecture savante des cartes, je peux commencer à m'imaginer que ces gestes, maintenant quotidiens, quasi banals, me permettraient peut-être de survivre un jour.

Dans ce camp, à Rimouski, je retrouve le fleuve avec lequel je suis né, ce fleuve majestueux qui se déroule devant moi et vient nourrir mes rêves de voyages et d'aventures, comme quand j'étais petit. Au beau milieu de mon regard, il y a l'île Saint-Barnabé qui me laisse deviner la silhouette un peu floue de son ermite les soirs où la lune se permet de l'effleurer. Si un jour je suis en danger, je fais la promesse de me rappeler l'image de ce fleuve sacré et de laisser l'onde de son eau me redonner espoir et me faire croire en ma propre éternité.

★ ★ ★

Aujourd'hui, 17 octobre 1941, c'est vendredi, j'ai du temps libre jusqu'à lundi midi. Je prends ma première permission après plusieurs mois en dehors de chez moi. J'ai très hâte de revenir. J'ai hâte de revoir mes amis, ma famille et les montagnes. Nous sommes quelques-uns à vivre dans le même bout, alors on décide de prendre un taxi à Rimouski, car la ville est sans service d'autobus et, en plus, le chauffeur nous offre un bon prix aller-retour, désirant lui-même passer quelques jours chez les siens. Le jeune Samuel continue jusqu'à Saint-Maurice et les deux frères Fournier vont jusqu'à Saint-Majorique, chez leur père eux aussi. En octobre, les montagnes nous déploient leur dernier sursaut d'euphorie avant de tout laisser tomber pour l'hiver. Les couleurs du paysage me permettent de percevoir le calme et de ressentir dans mon être que je suis vraiment chez moi. Je revois avec plaisir toute cette jeunesse que je n'ai pas vue depuis mon départ en juillet. Je souhaite m'amuser pendant cette fin de semaine de congé et, le samedi soir, j'en profite pour aller danser et arroser mes pas d'une bonne bière bien froide et pétillante. Cela fait plaisir de revenir quelque temps aux anciennes habitudes qui deviennent charmantes parce qu'elles ne font plus partie de la banalité quotidienne. Le dimanche, le ciel est bleu et parsemé de ouates blanches qui m'inspirent le repos et, tranquille à la maison, je réponds aux multiples questions qu'une mère ne peut s'empêcher de poser à un fils qui navigue maintenant loin de son giron protecteur. Lundi matin, à l'heure où la nuit s'incline religieusement devant

C'est dans ce camp situé en plein centre-ville du Rimouski d'aujourd'hui qu'Émilien a été entraîné, accompagné de plusieurs centaines de jeunes Gaspésiens. Quelques-uns ont été combattre en Europe, plusieurs ont passé toute la période de la guerre dans le camp. La majorité des édifices du camp 55 ont été démantelés tout de suite après la guerre sauf le «drill building» occupé de nos jours par les bureaux du ministère des Transports du Québec.
(Archive personnelle de Gabriel Langlois)

le soleil, mes bagages sont prêts et j'attends les gars. Midi approche dangereusement et toujours pas de taxi à l'horizon. J'appelle Samuel et il m'annonce très décontracté que le départ sera pour mardi matin.

— Ben non, que je lui dis, écoute mon homme, on va être déserteurs!

Mais, Samuel trouvait que ce n'était pas bien grave. Bof! Enfin, on verra!

★ ★ ★

Le sergent est un homme qui n'est pas très aimé des soldats et les officiers ne semblent pas l'apprécier non plus. Il n'a évidemment pas cru à l'histoire de l'auto qui ne fonctionnait plus. Le commandant, qui n'a pas plus le sens de l'humour que le sergent, nous a convoqués dans son bureau et, évidemment il ne gobe pas lui non plus notre histoire de voiture brisée. On se retrouve tous condamnés à une heure de «drill» avec tout l'équipement sur le dos, masque à gaz inclus. Avancer au pas de course avec une charge aussi lourde devient vite fatigant, on a beau être jeune et fringuant, le poids du stress et de l'équipement nous fait courber l'échine comme des vieillards épuisés d'avoir trop vécu et notre énergie s'écoule plus rapidement qu'une fortune plus ou moins bien gagnée. Quelques minutes avant le repos tant attendu, je vois mon Samuel se pencher, il ramasse une roche et attend sa chance. Vlan! Dans un moment bien approprié, il lance sa pierre et le sergent la reçoit comme une gifle sur le côté du visage, bout de verra! Ce n'est pas long que l'ordre de se mettre à l'attention résonne dans nos oreilles comme un tonnerre de printemps; évidemment, personne n'ose parler. Ce petit homme coléreux est quand même un grand malin, il a son idée, et la bonne avec ça. Il décide de ne pas rapporter l'incident. Le soir, il invite Samuel à aller faire un petit tour derrière la baraque. On arrête tous de respirer. Nous savons très bien qu'ils ne vont pas jouer à la marelle. Devons-nous intervenir? Notre Samuel est-il en danger? Après dix longues minutes d'angoisse insoutenable, je vois mon Samuel revenir en riant dans sa barbe. Le sergent derrière lui tentant de dissimuler un œil un peu trop voyant qui laisse paraître des ombres suspectes descendre sur ses joues.

— Je lui ai donné la leçon qu'il méritait, lance notre Samuel, fantasque comme un enfant capricieux devant un père amoureux.

C'est sûrement inutile de spécifier que cette permission a été la dernière. Mon séjour à Rimouski s'est poursuivi sans recevoir aucune autre passe pour retourner dans mon coin de pays. Sacré Samuel!

★ ★ ★

Le temps continue de s'étirer lentement, c'est assez surprenant si on considère l'urgence dans laquelle le monde semble être jeté. J'ai bien réussi mon cours de sous-officier et j'ai signé mon papier pour aller de l'autre côté. J'ai toujours été assez volontaire pour des actions téméraires. Je suis jeune, en santé, avec toujours le goût d'être en avant et de bouger. Je me dis que j'irai combattre les Allemands puisque, si on les laisse faire, allons savoir ce qu'il adviendra de nous autres. Hitler est ambitieux. Sa soif de puissance semble sans limites. Les dégâts qu'il provoque me donnent le sentiment que je dois m'en mêler : donc, un matin de décembre 1941, l'ordre est donné :

Le soldat Émilien Dufresne du régiment des Voltigeurs de Québec en passe d'être transféré dans le régiment de la Chaudière doit partir à Halifax et, de là, traverser l'Atlantique.

Je suis allé passer les fêtes de Noël 1941 en Gaspésie pour revoir ma famille. Le trajet est assez long de Québec à Gaspé en train. Le train arrive en ville en soirée et, après un petit repos, on s'embarque pour un lent trajet ; le voyage jusqu'à la maison se fait à voiture à cheval avec les jumeaux Pierre et Joachin Bélanger, deux bons amis ; à Valcartier on est toujours ensembles pour l'entraînement. D'ailleurs la voiture est à leur frère, Jacques Bélanger. Après un petit repos, on arrête déjeuner à Saint-Maurice, dîner chez monsieur Bonenfant dans le portage du grand Étang et finalement le souper se fait à la maison à Pointe-à-la-Frégate au milieu des miens. Les vingt-quatre dernières heures avant le grand départ, je suis resté à Québec en compagnie de mes amis qui étaient maintenant nombreux. Dès mon retour à la base militaire, je me couche et j'essaie de dormir en prenant pleinement conscience que c'est sans doute la dernière fois que je dors dans ce que je considère maintenant comme mon lit. Ce départ-là apparaît comme le vrai départ, la raison ultime de toute cette aventure, la guerre me rattrape. Depuis plusieurs mois, tout me préparait à vivre cette grande traversée et, maintenant, je prie pour qu'elle ne devienne pas une épopée sans retour.

Bon! l'armée a beau être super organisée, les imprévus nous bousculent quand même au moment où on s'y attend le moins. La grande et angoissante traversée est repoussée dans une ombre de l'attente pour encore 72 lourdes heures. Quoi qu'il en soit, mon plan est d'utiliser ce répit, quand même bienvenu, pour retourner visiter ces amis que je venais de quitter soi-disant pour longtemps.

★ ★ ★

Je suis assez content de ce retard imprévu de 72 heures, mon projet est de me rendre à Québec !

Les ordres des tours de garde sont affichés sur un panneau à la sortie de la cuisine. Malheur ! Mon nom trône sur la liste comme une chandelle au beau mitan d'un gâteau. Évidemment, cela ne fait pas mon affaire, mais j'ai ma petite idée derrière la tête.

Je me dirige vers ma baraque d'un pas rapide et décidé et, là, je commence à presser mon habit. Il doit être impeccable ! Sans un pli, lisse comme une fesse de bébé. Je sors mes bottes et je les frotte jusqu'à les faire presque disparaître ; elles deviennent aussi satinées qu'un couloir de couvent. Pour terminer, je m'attaque au restant de mon équipement avec du « brasso » pour le cuivre et un espèce de liquide pour faire briller ma carabine comme un soleil couchant. Tout est tellement éblouissant que, pendant quelques instants, je crois être en face d'un glacier loin des côtes océanes. Je suis sûr que mon stratagème fonctionnera.

Les sept gars en liste pour le tour de garde sont au garde-à-vous sous l'œil scrutateur et vigilant du sergent. Comme d'habitude, le mieux astiqué des sept est dispensé de son tour de garde.

Cette permission-là a été véritablement la dernière.

CHAPITRE 2

LA TRAVERSÉE

DÈS JANVIER DE L'ANNÉE 1942, je savais que je partirais. Toute mon attention et tout l'entraînement me rapprochaient de ce départ. Finalement, au mois d'avril, je prends le train pour Halifax et, de là, un bateau canadien pour l'Angleterre. Ce n'est pas un très gros bateau. Nous ne sommes que deux cents soldats et officiers, mais il y en a tout un contingent, des dizaines de bateaux traversent en même temps. En 1942, on ne peut pas dire que l'océan Atlantique ne soit qu'une petite mer tranquille bercée par le rouli-roulant du ressac un soir de pleine lune. C'est une mer, tachetée de noir, envahie par la guerre. Elle fait résonner à nos oreilles les sons plus ou moins lointains des torpilles sous-marines qu'accompagnent des rugissements menaçants.

C'est mon premier voyage en mer!

Pour un moment, je tente de ranger dans un recoin de mon esprit la raison de ce départ pour me laisser impressionner par la beauté et la magnificence du spectacle que la nature m'offre aussi généreusement. Partout où je me tourne, au bout de mon regard, au-delà des navires de guerre, j'admire l'immensité qui se déploie devant moi pour la première fois. Debout sur le pont, accoté au bastingage, je me dis qu'il n'y aura jamais plus de terre ferme et que ce tangage agréable serait dorénavant inscrit pour toujours dans le rythme de mon sang. C'est une première journée vraiment impressionnante. C'est assez cocasse qu'un Gaspésien, né avec de l'eau salée dans les veines, se sente aussi impressionné d'être sur la mer véritable pour la première fois. Je me dis qu'au retour, si je reviens un jour, j'irai pêcher avec mon père et mes frères.

Le temps, en haute mer, est plutôt susceptible et le moindre coup de vent peut réveiller des colères qui se transforment en infernales tempêtes. Au deuxième jour, je commence à être malade! Le paradis se transforme en enfer, je suis blanc, je suis vert. Tout tourne et bascule dans ma tête, mais surtout dans mon ventre. Je suis incapable de résister à l'appel incessant des toilettes. Mes entrailles se traînent à mes pieds. Je me demande sur quelle galère je me suis embarqué. Quand je me relève six jours plus

44

tard, blêmi, amaigri, un peu sonné, la bouche épaisse et les yeux rougis, je regarde ce déploiement d'eau salée et je me dis que je vais y repenser encore à mon idée d'aller pêcher ; peut-être finalement que je continuerai à aller couper du bois.

CHAPITRE 3

L'ANGLETERRE

ENFIN ON ARRIVE, pas tout à fait sains, mais saufs, sur la côte anglaise. Nous sommes escortés par des corvettes, des torpilleurs et des lanceurs de bombes sous-marines. Je me dis que le mal de mer était, finalement, un moindre mal. Je fais maintenant officiellement partie du régiment de la Chaudière et je suis fin prêt à affronter cette nouvelle étape de mon aventure.

Les neuf régiments de la troisième division canadienne gardent les côtes anglaises à tour de rôle. Nous demeurons à Pevensy-Bay dans des maisons louées par le gouvernement canadien. Nous sommes de six à dix gars, selon la grandeur de la maison, deux par chambre, partageant une salle de bain qui a un réservoir d'eau chaude fonctionnant au gaz. La cuisine est commune à tous, comme un grand réfectoire, dans une maison à part, située au centre de la rue juste à côté du quartier général du régiment. Arrivé dans ce nouveau camp, où toutes les maisons pareilles sont alignées sur la même rue, je me sens un peu dépaysé. Je suis persuadé de ne connaître personne. Toutefois, un jour, lors d'une visite de reconnaissance, j'ai le plaisir de rencontrer un de mes cousins, Étienne Poirier, qui, lui, était parti de Saint-Yvon depuis long-temps déjà.

L'entraînement militaire continue. Mainte-nant la guerre se pavane sournoisement parmi nous. De l'extérieur, tout semble pareil, mais je sens que je dois m'adapter à un environnement totalement différent, souvent hostile. Ce terri-toire m'est inconnu, la mentalité et la langue des gens d'ici, bien qu'elles soient voisines, sont encore à apprivoiser, et je pense qu'un excellent moyen d'intégrer toutes ces nouveautés est de me promener en ville.

Le camp est un peu en retrait des centres urbains tout en étant suffisamment près pour que je m'y rende à pied. Et comme les entraî-neurs ne cessent pas, jour après jour, de nous crier de marcher, eh bien! je marcherai. Quelles magnifiques découvertes j'ai faites! Chaque jour je prends le temps de regarder les belles maisons et j'essaie de deviner, à travers les coups d'œil furtifs jetés derrière les dentelles, ce que peuvent se raconter leurs occupants. J'admire les arrière-cours bien clôturées et je tente d'imaginer que je suis le jardinier qui fait naître et pousser ces arcs-en-ciel qui se répandent à mes pieds. Au fil des promenades, la banlieue anglaise m'apparaît bien entretenue, propre et coquette. Je me dis qu'il doit être agréable d'y vivre si on exclut le spectre de la guerre qui fige les sourires et fait claquer les dents.

* * *

Cela fait déjà deux mois que je suis arrivé à la base canadienne en Angleterre. En deux mois, j'ai suivi et réussi un cours de conduite. Grâce à ce cours, j'ai la garde d'un jeep et je dois conduire les officiers de liaison d'un régiment à un autre un peu partout en Angleterre. Je suis sous les ordres du major Guy Savoie. Je le conduis partout où ses affaires l'appellent, c'est également moi qui lave son linge, qui presse ses habits et lustre ses bottes, enfin je dois m'arranger pour qu'il soit toujours impeccable. À vrai dire ce n'est pas vraiment difficile, je suis moi-même un soldat assez brillant, alors mon major se pavane fièrement, présentant à tous une allure royale !

La vie s'installe avec sa petite routine entre le major, l'entraînement et les sirènes qui nous obligent de plus en plus souvent à nous mettre à l'abri. Ce soir-là, justement, en revenant de Londres, je raccompagne le major Savoie chez lui, il partage une maison avec trois autres officiers. Je le salue, il me dit bonsoir et à demain matin huit heures. Je stationne mon jeep et je retourne chez moi à pied, comme je le fais maintenant tous les soirs. Soudainement, les sirènes se mettent à rugir comme un enfant qui souffre, à me donner des frissons dans le dos. Je cours pour entrer dans un abri expressément conçu pour nous protéger. Ces abris sont rudimentaires, mais assez grands pour recevoir quelques centaines de personnes qui régulièrement doivent se mettent à courir pour se cacher. Je compte les bombes qui me tombent sur la tête et, comme les autres, j'espère en silence que tout le monde a eu le temps de se barricader quelque part. Quand le bruit infernal cesse enfin, on sort et on répare les dégâts.

En faisant le tour, je m'arrête à la maison du major. Les décombres envahissent la rue. La poussière est à peine retombée. Le va-et-vient des soldats et des officiers est impressionnant. La nervosité apparaît à travers les pores de la peau comme si la sueur représentait toute l'horreur que l'on est incapable d'accepter véritablement. Une bombe est tombée sur la chambre du major Savoie. J'aide à évacuer son corps. Ce corps inerte et lourd que la mort a pris par surprise. C'est la première fois que je vois un homme sans vie. J'ai envie de hurler que rien de tout cela n'a de sens. J'étais fier de lui encore

Émilien Dufresne
Lors de l'entraînement en Angleterre pour
permettre aux recrues d'envoyer de leurs nouvelles
au Canada, l'armée a organisé une séance
de photos en leur prêtant, pour l'occasion
un costume d'apparat. Les soldats devaient
le remettre aux autorités dès la photo prise.
(Archive personnelle de la famille Dufresne)

tout à l'heure. Quelle folie ! Je regarde ces yeux qui n'ont plus de regard et j'ai envie de lui raconter encore une fois ma Gaspésie, mais, surtout, j'ai envie de l'écouter attentivement me raconter, encore, son amour pour sa Beauce natale. C'est la guerre ! Je suis vraiment dedans.

* * *

À partir de Bournemouth, les entraînements ont changé. Ils sont plus rudes. À Inverness, en Écosse, c'est vraiment de plus en plus sérieux et intense. Dans les montagnes écossaises, ce n'est pas une sinécure et les paysages défilent sans que personne ne prenne le risque de les admirer. De temps en temps, nous croisons des bergers avec leur troupeau, mais la plupart du temps nous sommes seuls et nous passons nos journées à ramper et à tirer dans le but de nous habituer à toutes sortes de terrains et de situations. Pendant deux semaines, on rampe, tire avec des mitrailleuses, des mortiers, des grenades, sous la pluie ou baignés de soleil, la nature n'a plus aucune importance. Nous devons toujours nous imaginer être en danger de mort. Nous devons nous voir devant des gars entraînés à tuer et prêts à être tués. Nous devons absolument nous croire dangereux et, plus encore, il faut le devenir. Tout cet acharnement à l'entraînement nous

Émilien Dufresne
Photo prise en 1944 dans un camp d'entraînement
provisoire et itinérant en Écosse, quelques semaines
avant le grand débarquement en Normandie.
(Archive personnelle de la famille Dufresne)

laisse en contact avec les raisons profondes de cette haine et le monde devient un gros réservoir d'ennemis sanguinaires préparés à nous tomber dessus.

En avril 1944, revenus à Southampton, on commence à entendre parler de débarquement. Il y a beaucoup de monde, plein de civils en réunion, des hauts-officiers partout, difficiles à suivre, tant leurs mouvements sont rapides, presque improvisés. Les soldats messagers courent de tous côtés, efficaces et bien entraînés, délivrant des ordres et attendant des réponses. Je me sens un peu moins à l'aise. Ils nous donne même un nom de code : «OVERLORD».

Les officiers supérieurs m'obligent, après presque deux ans de loyaux services, à quitter les majors, et à reprendre ma place au sein du peloton huit de la compagnie A, pour rejoindre mon unité de combat.

L'entraînement est de plus en plus astreignant, mais aussi de plus en plus précis. En plus des engins de guerre que je manipule depuis le début de cette aventure il y a maintenant deux ans, je dois scruter les terrains, remarquer le moindre objet; l'emplacement de chaque arbre et de chaque pierre doit être retenu. Il y a aussi les mines, dangereuses mangeuses d'hommes, que j'apprends à surveiller à chacun de mes pas. Je dois être vigilant, attentif à tout ce qui est perceptible et plus encore.

Au début du mois de juin 1944, je suis sur un bateau. Comme au cinéma, un écran géant bien planté devant nous montre tout ce qu'il faut savoir et voir. L'ambiance est sérieuse, une mission s'annonce et le danger toujours un peu flou devient palpable à mesure que le temps passe. Les officiers nous présentent les cartes de tous les villages normands avec l'emplacement exact des habitants. Nous savons aussi où se trouvent les Allemands avec leurs nids de mitrailleuses et leurs batteries de canons. Les informations sont claires, concrètes, précises. Après quatre jours sur le bateau à étudier tous les recoins de l'endroit prévu pour la mission, les officiers très haut gradés nous communiquent à quel point ces informations sont primordiales pour notre survie à tous. Ce n'est plus un jeu. Le réel est parmi nous. Un réel particulièrement mystérieux, car le secret n'est pas encore totalement révélé. Ils nous enfoncent dans l'inconnu, insistant simplement sur la nécessité de bien apprendre, d'être minutieux, de ne rien oublier. C'est une question de survie.

Le soir du 5 juin 1944, au souper, le commandant nous annonce la grande nouvelle :

— Le Jour J, c'est demain, car la température est favorable. N'oubliez pas les gars que vous êtes bien préparés et que vous savez exactement ce que vous avez à faire. Le débarquement est fixé pour six heures, notre plage est

Bernières-sur-Mer et notre objectif : récupérer, aux mains des troupes allemandes, six canons 88 mm. Le Canada et le monde libre comptent sur vous.

Le silence s'installe comme un invité inattendu. Pour des fantassins comme nous, l'objectif est immense. Ces canons ont une épouvantable réputation. Ils sont montés sur des chars d'assaut capables de faire reculer n'importe quelle armée. Est-ce possible que nos supérieurs surestiment nos forces ? Servirons-nous de chair à ces canons ? Après le souper, je retourne sans répit dans ma tête tout ce que je devrai faire le lendemain matin. Je me couche, mais je suis incapable de m'endormir. J'ai la désagréable impression que mon cerveau va exploser comme toutes ces bombes qui font maintenant partie de ma réalité. De ma triste réalité. Je pense à ma mère... et si tous ses *scénarios* avaient été prémonitoires ? Je pense à ma famille, à mon père qui avait de bien bonnes raisons finalement de ne pas avoir été enchanté de ma décision de m'enrôler. Je pense à mon passé... Aurais-je un avenir ? Qu'est-ce qui va se passer demain ? Je me sens comme devant un abîme, le néant s'impose jusqu'à effleurer ma conscience. Ma vie ne tient-elle qu'à un mince fil ? J'essaie de contrôler mon imagination, je tente de ne pas divaguer, mais puis-je faire autrement ? Je crois que j'ai peur ; pour la première fois depuis mon départ, je sais que j'ai peur. Est-ce possible que je sois né pour vivre si peu de temps ?

CHAPITRE 4

LE DÉBARQUEMENT

C'EST MAINTENANT que la réalité dépasse la fiction. Jamais je n'aurais eu assez d'imagination pour créer une telle horreur. On peut bien voir des films sur le débarquement, on sait que c'est faux. Personne ne meurt et la douleur n'est qu'une piètre imitation à peine ressentie le temps d'une pose. Bout de criss !

Ce matin du 6 juin 1944, je me rappelle avoir rencontré la mort, la vraie, celle qui est gluante et froide. Celle qui apparaît invincible malgré toutes nos théories de vainqueur. La mort qui ne permet plus de croire à l'éternité dorée d'un paradis promis et retrouvé, car tout autour rappelle l'enfer.

Il y a des navires de guerre à perte de vue, bondés d'hommes, surtout des jeunes hommes de différentes nationalités. Je dois descendre sur un plus petit bateau, une péniche, et tenter de débarquer sur cette plage sans soleil où je sais être attendu par des combattants ennemis aussi bien préparés que moi.

Après coup je me demande à quoi pouvais-je penser?

Je suis dans l'eau jusqu'aux épaules avec mon fusil levé bien haut au bout de mes bras. Je sais que ce fusil doit être protégé à tout prix, ma vie en dépend. J'avance lentement, avec vigilance pour ne pas risquer de me faire exploser sur ces insinueuses mines sous-marines de plus en plus spécialisées dans l'art de tuer, comme plusieurs de mes compagnons qui virevoltent dans un dernier salut à la vie. J'essaie de me remémorer les consignes maintes et maintes fois entendues et répétées. J'ai les oreilles tellement remplies de bruits ahurissants que je souhaite devenir sourd pour ne plus jamais avoir à réagir à toutes ces barbaries. Le pire, s'il est encore possible aujourd'hui que je puisse imaginer pire, est sans doute cette consigne du chacun pour soi. Sauver sa peau, fixer son but, avancer coûte que coûte, en ligne droite, devant, empressé et vigilant. Je me souviens encore que, pendant tout le temps de l'entraînement, le soldat n'existe plus, le groupe s'impose, le régiment est souverain, la solidarité respire au même rythme que les battements de nos cœurs. Un des membres du groupe tombe, il est relevé, un compagnon se traîne, la force des autres le prend en

Unités du régiment de la Chaudière dans
une péniche de débarquement. Le soldat encerclé
est Émilien Dufresne (ANC).

Débarquement des Canadiens. Les Allemands
ont défendu chèrement leurs positions. Pendant
un mois, la ligne de front établie au soir
du débarquement ne bougera pas (ANC).

charge et le mène à bon port, malgré lui, malgré sa faiblesse et son désir de rester là, tranquille, pour toujours. Pendant ce jour maudit, dans le feu de cette action infernale qui envahit mon être tout entier, il faut que je ne pense qu'à moi. Chacun ne doit penser qu'à lui.

Les images se bousculent dans ma tête et je me souviens que je regarde cette plage si près et en même temps je la trouve terriblement inaccessible et mon seul but, toute la force de ma pensée obsessionnelle, est d'y arriver. Je sens mon uniforme pesant, mouillé, souillé du sang de ces autres que je dois bousculer pour continuer d'avancer. Mes armes sont lourdes, mais ma tête drôlement légère. Plus rien ne compte que de débarquer. Mon Dieu que c'est bruyant, mouillé et tellement dangereux. J'entends ces ordres qui fusent de partout. Tout le monde crie comme des fous pour essayer de se faire entendre. Se faire entendre de qui ? Pourquoi ? Il n'y a rien à dire, rien à comprendre. Les bombes explosent et le fracas de ces feux d'artifice, ne célébrant que l'absurdité des hommes, rejaillit autant dans nos têtes que sur ce qui reste de la plage, déstabilisant les corps et parfois les esprits aussi. En des moments aussi intenses, je crois me rappeler que les gars sont désespérés, qu'ils appellent leur mère, comme si le mot *maman* permettait l'illusion que par magie tout finirait par s'arrêter.

Il y a des francs-tireurs partout qui nous attendent et qui peuvent nous voir. Mais nous ne pouvons pas savoir où ils se terrent. Ils peuvent être dans les moindres recoins, passant inaperçus à travers toute la boue et les os fragmentés, dans les arbres ou dans les clochers profanés. J'en entends des balles siffler et j'en mange de la terre imbibée pour ne pas me faire tuer.

Je revois encore mon unité de la troisième division transportée à bord d'un navire canadien et mise à terre au moyen d'une péniche. Sur le front, ma brigade, la huitième, arrive finalement à temps pour engager les fortifications ennemies. La tête de pont est prise et je me dirige alors toujours en courant et en zigzaguant vers l'intérieur pour prendre Bernières. La deuxième étape s'enchaîne sans me laisser une seule seconde de répit pour que je puisse profiter de ce bref instant d'une si digne victoire.

Ma mémoire est en feu et les souvenirs douloureux refont surface. Je suis assis par terre, à l'abri de toute attaque, mais les images s'imposent à moi. Je revois encore tout le scénario se dérouler lentement comme si le temps ne m'offrait plus de repère.

J'avance couché, en rampant pouce par pouce pour me rendre à Bernières, libérer les femmes et les enfants qui nous reçoivent en héros. Ils ne cessent de m'embrasser, on dirait que je sens combien ils s'accrochent à ce qui reste des lambeaux de mes pantalons. Je tombe, épuisé, triste et content. Les émotions m'envahissent autant que le bruit quelques minutes auparavant.

Tout se bouscule en moi. En écrivant ces lignes, je me demande comment j'ai pu vraisemblablement départager ce mélange de joie et de chagrin. Chez nous, en Gaspésie, un homme ne se préoccupe pas d'analyser ce qu'il ressent. Les hommes sont fiers, dignes, stoïques, silencieux et leurs regards restent secs. Les émotions appartiennent au monde des femmes. Ici, à 20 ans, plongé dans un univers inconnu et hostile, sans aucune femme pour m'aider à exprimer ce que je ressens, je me sens perdu. Et ce n'est pas terminé! Cela cessera-t-il un jour? Peut-être qu'il me faudra errer ainsi pour toujours, en geste expiatoire de cette humanité bafouée.

Le film continue de se dérouler dans ma tête et je me revois encore, avancer, concentré pour intercepter les fameux canons 88 mm, les intercepter à tout prix pour que cessent au plus tôt les cruautés de cet univers de damnés. Avant midi, le 6 juin 1944, ça y est, je débarque. Je fais mon débarquement en Normandie. Je l'ai réussi. Je traverse bien vivant ces quelques mètres mouvementés séparant le bateau de la plage.

Vers 16 heures, ce même jour inoubliable, les canons sont entre nos mains. La Brigade fait le point pour constater ce qui manque en hommes et en munitions. Il faut se réorganiser pour continuer encore. On ignore les intentions des Allemands. On doit avancer le plus loin possible pour ne pas se faire remettre en mer, ce qui signifierait notre arrêt de mort. De plus, deux autres régiments canadiens sont en danger et nous voulons aller leur porter secours. À 18 heures, croyant mériter un petit repos, on s'arrête pour manger un peu et tenter de récupérer quelques forces. Je me souviens d'avoir pu enfin profiter de ce moment de grâce pour remercier Dieu d'être encore en vie.

Plus tard, guidés par la prudence et préparés par la stratégie militaire, nous creusons des tranchées de six pieds de long, sur trois de large et deux pieds de haut. La terre est sablonneuse, facile à creuser comme si la terre elle-même, cette mère nourricière, en avait assez de toutes ces misères.

Autour de minuit, toujours ce fameux jour J, on se fait attaquer. Un régiment d'infanterie allemand fonce sur nous avec des blindés. Nous sommes quarante. Ils sont deux cents. Nous combattons avec toute l'énergie du désespoir. Nous sommes déjà très affaiblis par les soubre-sauts de cette journée pas ordinaire. Les Alle-mands reprennent les fameux canons et, si on ne se rend pas aussi, ils nous font tous sauter. À deux heures, le matin du 7 juin 1944, je suis fait prisonnier de guerre par les Allemands.

ESPOIR DE VICTOIRE

CHAPITRE 5

LA CAPTURE

Qu'est-ce que cela peut bien signifier, être prisonnier de guerre des Allemands quand on est soldat canadien et que l'on n'a que 20 ans? On s'était cru bien à l'abri dans nos tranchées creusées après avoir atteint notre objectif lors du débarquement en Normandie; les canons 88 mm, les meilleurs qu'avaient les Allemands. Nous avions organisé nos tours de garde l'un après l'autre pour nous permettre de nous reposer un peu. Mon tour a été de 22 heures jusqu'à 2 heures du matin. On était tous complètement crevés. Les Allemands étaient beaucoup trop nombreux, ils nous éclairaient comme un soir de pleine lune. Tout a été pas mal rapide, il valait mieux se rendre.

À partir de cette attaque, tout devient aléatoire. Que peut-il se passer? Que feront-ils de nous? Le mot avenir prend subitement une signification un peu floue. Même demain semble lointain et représente l'inconnu. La traversée du désert, l'image du noir qui nous envahit quand les yeux sont fermés, apparaît de plus en plus comme le reflet de la réalité. Chaque jour allait-il étaler ainsi son ombre? Les hommes durs et combattants se sentent totalement impuissants et remettent leur espoir entre des mains divines.

Les geôliers nous confisquent tout ce que nous avons, sauf nos vêtements et nos bottes. Ils nous exhibent devant les Français qui se sentent vaincus, comme pour leur dire que le débarquement avait échoué, question de les décourager et de se faire de la propagande de vainqueur. Les nouvelles arrivent quand même à circuler et les Français ne semblent pas tous dupes de cette mascarade. Cette mission colossale du débarquement en Normandie a quand même libéré la France, et ils le savent, la France occupée, la France rebelle et résistante, pas celle officielle qui souhaitait voir gagner les Allemands.

En marchant dans les rues, certains Français tentent de nous parler, mais on leur barre le chemin. Nous sommes devenus inaccessibles. Tout ce que nous pouvons capter dans la foule qui nous regarde passer sont ces V de la victoire offerts par des mains décharnées de gens qui souhaitent que leur aspiration de fin de guerre coïncide au plus vite avec la réalité.

Le premier camp est Alençon. À notre arrivée, il y a déjà près de mille prisonniers américains amenés la veille. Les Américains nous disent que la mission va bon train, que les alliés avancent tout le temps, obligeant les troupes allemandes à reculer vers Caen. Cette ville de Caen est aussi notre prochaine étape. Nous sommes restés cinq jours à Alençon pour aider à ramasser les débris des maisons et des magasins détruits par les bombes. Nous sommes mélangés avec des civils français, mais plusieurs soldats alliés n'osent pas trop s'y fier. Plusieurs doutent d'eux et ont peur qu'ils soient contre nous. Ce n'est pas toujours évident de savoir sur quel bord ils sont, les Français. Les événements sont arrivés tellement rapidement qu'eux-mêmes ne savent pas toujours de quel bord ils doivent se présenter.

Nous allons à Caen à pied, en marchant durant le jour et la nuit, nous dormons dans les granges. Ma vie de prisonnier itinérant, toujours en mouvement, vient de débuter.

À partir de Caen, ils nous mettent dans des camions en direction de Falaise. La fatigue tombe sur nous comme une pluie de printemps et le temps de repos devient de plus en plus urgent. Les alliés qui ont combattu à Caen se sont rendus à Falaise exténués ; leurs combats ont été très difficiles, car il ne faut pas oublier

Cette carte représente le tracé de l'itinéraire effectué par les
prisonniers à partir du débarquement en Normandie en 1944
jusqu'à la libération en Angleterre en 1945. La traversée de
l'Allemagne a été faite à pied sur une période de 42 jours.
La carte a été préparée gracieusement par mesdames
Lucie-Alice Côté et Danielle Dufresne.

que les Allemands aussi donnent tout ce qu'ils peuvent pour gagner et ne pas être obligés de reculer. Je suis prisonnier, mais la guerre continue. Partout où nous allons, les combats nous poursuivent.

★ ★ ★

Le 21 juin 1944, nous marchons donc jusqu'à Chartres. Nous sommes logés dans un orphelinat, un grand bâtiment qu'éclairent souvent les scintillements produits par les bombardements. Nous sommes encore en guerre et même les bombes «alliées» sont devenues dangereuses pour nous, car nous avançons avec les Allemands. Je me dis souvent qu'il serait un peu ridicule de me faire tuer par une bombe qui serait lancée avec le même objectif à défendre que celui qui a été le mien.

C'est à partir de Chartres que la nourriture commence à manquer. Cela fait à peine quelques semaines que je suis prisonnier et, déjà, le ravitaillement en vivres que les Allemands mettent à notre disposition diminue rapidement. La première journée, on reçoit un petit pain pour deux personnes pour toute la journée. Le lendemain, ce n'est que le soir que la soupe aux patates avec un peu d'orge mou et trop cuit arrive. La troisième journée, ils nous offrent un autre petit pain pour deux personnes et je ne sais pas si c'est déjà les hallucinations causées par la faim, mais ce petit pain nous semble encore plus petit que le premier et il est plutôt difficile à partager.

On reprend la route pour Paris, en camion. Sur les Champs Élysées, c'est une vraie farce, ils nous font parader comme des trophées. La foule est nombreuse, jeune et féminine. Les hommes sont soit au combat, soit prisonniers ou bien cachés quelque part pour se battre ou pour se protéger. Les femmes, le long du chemin, tentent de nous refiler de la nourriture et des cigarettes, mais elles se font bousculer par nos gardes qui désirent éviter à tout prix la moindre petite étincelle de satisfaction dans notre regard. On réussit malgré tout à apprendre, tout en avançant à travers le brouhaha, que nos troupes sont rendues à Caen et que tout va bien pour eux. La cohue bruyante nous crie tout ce qui peut assouvir notre curiosité. Elle sait d'instinct ce que nous souhaitons entendre et là, prisonnier, au beau milieu des Champs Élysées, entouré de gardes armés et d'une multitude de sympathisants, subitement, je me sens tranquille. Je suis envahi par une sensation qui ressemble à un bien-être, la tension tombe, la solidarité et la reconnaissance sont dans l'air. Je les sens. Bien sûr, les sourires sont figés et les corps se dessinent comme des spectres ambulants, mais la chaleur humaine de ce moment pénètre en moi et me réchauffe le cœur comme un beau grand cantique de Noël. La balade se termine à la gare de l'Est où un véritable festin nous attend : soupe à l'orge, patates et viande.

Pour le grand départ, les Allemands nous entassent à quarante dans des chars à bestiaux. Le train roule de nuit à cause du danger que représentent les bombes. Dans ce train d'enfer, l'intimité prend une signification particulière. On est moins fragile aux désagréments et plus tolérant face à des comportements qui nous choqueraient en d'autres circonstances. Sans toilette, ni eau pour se laver, le corps s'impose. Il est difficile aussi de dormir et pas moyen de se coucher quand l'espace est tout juste suffisant pour permettre d'allonger un peu les jambes. On apprécie ces brefs moments d'étirement qui évitent aux crampes de nous envahir comme une colonie de fourmis voraces. La bulle personnelle éclate, le toucher provoqué par la promiscuité est accepté. Quand les gens parlent de descente aux enfers, l'image qui lui est associée est personnelle à chacun et retentit selon sa vie et ses angoisses. Je ne veux pas me plaindre inutilement, mais je crois que cette vie de prisonnier compte, jusqu'à maintenant, parmi les pires descentes qu'un être puisse endurer.

Après deux interminables semaines dans ces chars pour animaux, on nous conduit dans un camp nommé le Stalag 8 à Sagan. Après un mois de captivité, ils nous amènent aux douches pour la première fois. Imaginez l'allure des corps...

* * *

Dans l'enclos voisin, il y a des Russes. Pauvres Russes, ils sont en bien pire état que nous. Leurs habits sont très délabrés. Tous les jours plusieurs d'entre eux sont tués sans raisons apparentes, comme s'il s'agissait d'un exercice de tir. Ils sont ensuite roulés dans des fosses communes par des tracteurs, sans respect ni aucune délicatesse. De temps en temps, je me permets de dédier une petite prière à la bonne sainte Anne pour le salut de leurs âmes.

Un matin, après une semaine passée dans le Stalag 8, on part à pied. Nous sommes cinq cents à six cents prisonniers à marcher de dix à quinze kilomètres par jour. Il est impossible de faire plus, car nous n'avons presque rien à manger ni à boire. Quelquefois des femmes allemandes essayent de nous donner de l'eau ou un morceau de pain, mais nos chers guides les repoussent brutalement. Les couchers se ressemblent toujours, soit dans une grange, soit dans une porcherie ou simplement à la belle étoile. Nous sommes en juillet et la température est encore assez clémente dans ce coin de l'Allemagne avoisinant la France. La marche est vraiment difficile et les conditions de vie et d'hygiène sont à leur minimum. Je tente de dépasser les malaises et de construire comme une barrière avec mes émotions pour me brancher seulement sur ce qui est essentiel à la vie. Tout devient rapidement relatif. Le confort, la faim, la fatigue sont perçus comme ce qu'ils sont vraiment, c'est-à-dire de brèves expériences qui sont inscrites dans l'éternité, mais qui ne durent qu'un moment bien précis. Ce matin, j'ai cru que cette journée serait la dernière et, ce soir, finalement, j'ai en moi assez de ressources pour continuer jusqu'à demain et j'espère encore et encore.

CHAPITRE 6

LE TRAVAIL FORCÉ

APRÈS QUELQUES JOURS EN CAMION, nous arrivons à Malch dans une usine de fabrication de sucre. Nous sommes à la fin du mois de juillet 1944. Les Allemands m'ont assigné sur un gros chaudron à très haute température qui reçoit les betteraves broyées pour les faire bouillir, les verser dans les dalles et finalement aboutir avec du sucre blanc raffiné. Quelquefois, il arrive que le liquide soit trop dur pour couler dans ma machine, donc je dois réparer cela en piétinant le sirop pour le liquéfier davantage. Quand l'arrêt se produit en après-midi, mes pieds ont déjà eu très chauds et ils sont plutôt noirs et collants, le vieux gardien nazi de la fabrique s'en fout, pour autant que l'ouvrage se fasse. Chaque jour, un peu pour se venger, un peu pour s'amuser, les gars urinent dans les cuves, ce qui a pour effet d'amollir très vite le sirop et de mettre le vieux en rogne. Le travail quotidien n'est pas nécessairement intéressant. Je m'imagine aisément que c'est quand même mieux que de passer toutes les grandes journées à ne rien faire, ce qui serait rapidement très morne. La fabrique de sucre est assez près du camp, et m'y rendre chaque jour, même s'il s'agit de travail obligatoire, m'évite de sombrer dans la déprime.

Je m'occupe des chaudrons qui sont pleins de sucre. Pour faire descendre le sucre dans les dalles, je dois prendre ma pelle en bois, car le courant électrique est toujours branché, cela empêche le refroidissement de mes chaudrons. À l'occasion, quand le sucre est vraiment trop dur et difficile à brasser, j'utilise une pelle en fer, plus forte, et qui me demande moins d'effort pour casser le sucre durci. Je traverse la passerelle au-dessus des chaudrons pour aller faire descendre le sucre. Au retour, quelques minutes plus tard, en retraversant en sens inverse, je dis à mon ami :

— Je me barre les pieds et je laisse tomber ma pelle.

Aussitôt dit, aussitôt fait, je me met à ramper sur la passerelle pour simuler un accident et, presque instantanément, le feu se déclare dans les machines en bas. Le vieux gardien court partout comme une poule sans tête.

— Il est où le saboteur ? Il est où le saboteur ? lance-t-il en criant, les yeux exorbités et le visage tout rougi par la rage et la fumée qui commence à monter.

Il gémissait comme une chat de ruelle en rut et, au moindre accident, il se plaignait d'être le gardien d'une bande de terroristes qui méritaient d'être abattus comme des chiens.

Le renfort arrive, j'entends des hommes courir. À mesure que les pas se rapprochent, je sens mon audace se retirer et je me demande bien quelle étrange éclair est venu me traverser la tête. Je reste couché. Je ne peux pas me défendre, je ne parle pas allemand. Les apparences sont contre moi. À voir leur regard et à entendre ces hurlements récités à une vitesse vertigineuse, ils pensent certainement que je suis tombé exprès pour arrêter leur maudite machine. Notre interprète qui parle anglais et allemand travaille dans une autre fabrique ; le temps de lui transmettre le message de venir nous rejoindre, un de mes copains s'approche de moi et, dans un anglais assez approximatif, on tente de leur fournir ma version des faits de l'accident. Peine perdue, effort totalement inutile, le vieux n'y croit pas. Les soldats m'amènent dans une cave, là où on enferme les Polonais récalcitrants. Ils sont cinq, six avec moi dans ce trou gris et humide ; je suis maintenant prisonnier chez les prisonniers. Je me sens complètement imbécile et j'ai des frissons dans le dos malgré la chaleur ambiante de ce fond de terre.

— Salut mec, ça va ? Je me retourne, surpris d'entendre parler français dans cet espace de fin du monde et je croise le regard d'un Polonais souriant et fier de la surprise qu'il vient de provoquer.

— J'ai vécu quatre ans à Montréal, continue-t-il, pour travailler avec mon père, qui est Allemand. Je suis revenu en Pologne pour tenter de sauver ma mère qui elle est Juive; donc, comme tu le sais, elle est en danger, et me voilà pris ici, où je ne peux plus rien faire pour elle.

À l'entendre me raconter sa triste histoire, je suis presque gêné de lui parler de la mienne qui finalement paraît bien banale. Il m'écoute quand même poliment et finalement il me suggère de faire confiance au lieutenant qui a la responsabilité de gérer les conflits des prisonniers. Il me dit que ce lieutenant passe beaucoup de temps avec notre interprète et que je ne pouvais pas le manquer.

Deux jours plus tard, alors que je suis toujours enfermé dans ce stupide cachot nauséabond et étroit, mon interprète arrive enfin. On s'entend pour formuler une version plausible de l'accident et, surtout, on se concerte pour toujours dire la même chose à chaque interrogatoire. Ici, la moindre petite erreur peut entraîner des conséquences fatales, et cela nous le savons très bien tous les deux. Les gardes viennent enfin me chercher pour m'amener vers le lieutenant gestionnaire des conflits dont m'avait parlé mon Polonais qui connaissait Montréal. Son bureau est petit et bien rangé, il a l'air assez sympathique, son regard n'est pas enragé et ses sourcils ne se tiennent pas au garde-à-vous ; l'ambiance me met en confiance, je sens que mes épaules commencent enfin à se détendre. Il me pose plein de questions, ils les reprend une à une, différemment, avec toujours la même voix monocorde et dépourvue de colère. Je répète mon histoire en faisant bien attention de ne pas me contredire. Je sens que cela va bien, je souhaite que tout se termine rapidement. Tout à coup, la porte s'ouvre brutalement et le vieux gardien entre en trombe, torse bombé avec sa mine patibulaire et enragée, il essaie de changer l'orientation de mon récit. Le vieux veut me faire passer par les armes. C'est un vieux nazi convaincu qu'il y a eu sabotage, car il ne faut pas oublier que je me déclare toujours innocent, et le sabotage est, selon lui, un crime devant être puni de la pire des manières.

— Nous sommes en guerre, mon lieutenant, crie-t-il en conservant sa raideur de poteau de téléphone, pas de pitié pour les ennemis du IIIe Reich, Heil Hitler ! »

Le vieux croit qu'il est du bord des plus forts et que rien ne peut lui arriver. Par contre, le lieutenant sait que la réalité se présente autrement. Les Allemands sont en train de perdre et de reculer sur presque tous les fronts, la radio commente l'avancée des Russes vers nous, par la Pologne. Ils me remettent à l'ouvrage dans une autre section. Mon nouveau travail consiste à vider le sucre dans les sacs. Je m'active, quand même assez lentement étant donné les conditions liées à notre faible alimentation, avec une gang d'Ukrainiens. Les conversations ne sont pas très longues, quelques signes, quelques mots devinés, et l'essentiel est dit.

Juste après être sorti du bureau, ce jour-là, où le vieux nazi jurait de me faire fusiller, je suis resté quelques minutes avec le lieutenant. Il s'est mis à me parler du Canada et de Montréal. Il me racontait y être allé avant la guerre. Il avait le regard tourné vers l'intérieur et me disait à voix très basse :

— Montréal !..., une bien belle ville, n'est-ce pas soldat ?

Moi, je ne pouvais rien répondre à cela, je n'y avais jamais mis les pieds à Montréal, mon itinéraire avait été de Cloridorme à Québec ; ensuite Rimouski, Québec, Halifax, Londres, le débarquement et maintenant ici, prisonnier en Allemagne. Quel drôle d'itinéraire ! J'imaginais aisément que Montréal soit une très belle ville. Le lieutenant me faisait penser que j'irais certainement la visiter un jour si je ne provoquais pas de catastrophe pour m'empêcher de revenir. Il me rappelait que j'étais en guerre, que j'étais un

84

prisonnier de guerre et pas un scout en exercice de survie. Tout à coup, j'entends une voix qui s'impose et je me rends compte que c'est le lieutenant qui continue de me raconter son histoire.

— Mon frère, dit-il, est installé à Montréal avec sa femme et ses enfants. Quand je vous ai vu, j'ai pensé à eux et c'est un peu, jeune homme, en hommage à ce souvenir que j'ai manifesté de la clémence à votre égard. Je ne remets pas en cause votre innocence, mais ici, vous savez, l'innocence n'est plus un gage suffisant de survivance.

Son accent, ses manières, ses gestes, je ne sais pas trop, mais j'ai pensé qu'il était Canadien.

— Lieutenant, n'êtes-vous pas un Canadien ? que je lui demande un peu naïvement. Il me regarde à peine surpris, il rompt le silence avec un grand rire sarcastique et me répond :

— Un Canadien dans l'armée allemande ! Voyons donc, c'est impossible !

On s'est quittés ainsi. J'ai conservé mes doutes quant à son origine et je suis reparti mettre du sucre dans mes sacs. Évidemment, le vieux nazi me collait au cul et je m'en foutais royalement.

— Au diable le vieux, les Russes vont bientôt arriver !

On pensait tous se faire libérer par les Russes en espérant, au bout du compte, être rapidement de retour à la maison.

CHAPITRE 7

LA MARCHE

LES ÉVÉNEMENTS ne se passent pas toujours comme on les imagine. C'est un peu pour cela que j'apprends à vivre au jour le jour sans trop m'inventer de scénarios. Je crois qu'il arrive un moment dans la vie où l'idée même de continuité cesse d'exister. Ici, dans mon trou de prisonnier, je n'exerce aucun contrôle. Toutes les décisions, même et surtout celles qui me concernent, sont prises en dehors de moi. Je suis dépendant. Hier et demain sont des concepts de plus en plus surréalistes. Je dois apprendre à m'accrocher au seul instant qui existe vraiment: maintenant. Toujours maintenant, une minute après l'autre, en me répétant constamment: *ce n'est qu'une minute, je suis capable de la supporter.* Ma liberté doit être au bout de ce périple, de cela je dois demeurer convaincu. Plus j'avance, pas à pas, lentement, plus je reconquiers ma liberté.

Les informations qui se rendent jusqu'aux prisonniers sont entrecoupées et contradictoires. Le tableau réel des événements n'est pas simple à reconstituer. Une chose est sûre, au-delà des rumeurs et du vent tournoyant : les Russes avancent vers nous. C'est une vérité tellement remplie d'espoir que les Allemands décident de lever le camp. Après cinq mois, fini la fabrique de sucre. On déménage !

★ ★ ★

C'est le branle-bas de combat, il faut se mettre en route, partir. Je ramasse la totalité de mon patrimoine. Qu'est-ce que je possède aujourd'hui qui me particularise ? Quels sont ces biens par lesquels les gens captent une partie de ce que je suis ? Comment peuvent-ils me deviner et me connaître si tous mes signes distinctifs extérieurs disparaissent ? Ce que je possède, ou plutôt tout ce vide, cette absence de possession me permet de demeurer totalement anonyme. Pour percer mon mystère, pour établir un réel contact, les gars devront me parler, s'ils en ont la force ou la capacité. Je ramasse ma couverture de laine et j'enfouis dans mon baluchon un chandail et un sous-vêtement. Je range aussi mon cahier de notes, ce trésor que je cache comme un péché, car je sais que si les gardes le découvrent ils le confisqueront, pire ils le détruiront, et je verrai mes tripes ouvertes sur la terre en inutile sacrifice, comme un mauvais présage.

Quel drôle de convoi d'éclopés!

Jour 1

Mes sabots de bois sont très pesants. Je les attache avec de la grosse toile épaisse pour essayer de les faire tenir à mes pieds. C'est certainement mieux que rien du tout, mais cela rend la marche plus pénible à supporter. Nous partons sans trop savoir ni où ni pendant combien de temps et sans déjeuner. Le sergent nous crie sans arrêt: «Pas de travail, pas de nourriture! Bande de vauriens qu'on doit traîner comme un destin.»

Au début de l'après-midi, après avoir longé la frontière polonaise, nous faisons enfin une pause accompagnée d'une très bonne soupe servie avec un peu de viande et un tout petit pain à partager entre quatre hommes. Il est vrai qu'avec un estomac ratatiné comme une pomme séchée une grande faim peut être rassasiée avec très peu de nourriture. Je constate, résigné, que la bouffe ne sera pas excessive ici non plus. Seigneur! Pourvu que je tienne le coup! Ce soir dans une grange de la Pologne, allongé sur un lit que je me confectionne avec un peu de paille et ma couverture de laine, j'essaie de ne pas trop penser. Je me sens un peu mort-vivant, déconnecté, pas tout à fait conscient de tout ce qui se passe. Les Allemands me semblent nerveux et j'entends au loin le grondement des canons russes.

Jour 2

La grande toilette matinale est aussi brève que la nuit. Juste un peu d'eau pour se dérider la peau. La marche reprend, toujours en Pologne, souvent en silence. On avance lentement. Certains se traînent. On mange peu. Les Allemands ne font pas de banquet eux non plus. On arrive à Görlitz, en Allemagne, dans un immense camp de prisonniers américains, un camp bien circonscrit par une haute clôture pleine de fil barbelé et entourée de soldats armés. Notre tâche est de reconstruire le jour les chemins de fer que les Alliés bombardent la nuit. Le travail, le mouvement et la proximité des combattants alliés me remettent en contact avec un sentiment de vie. Quand je ressens ainsi l'espoir, je crois en ma libération prochaine, je crois que les Alliés viendront me sortir de cet enfer de guerre et je vois mon moral reprendre sa courbe vers le haut.

Jour 10

La randonnée macabre à laquelle je suis abonné se continue. Des trois cents prisonniers partis il y a dix jours de la Pologne, nous sommes aujourd'hui quelque mille. Il y a beaucoup de prisonniers américains, et je crois que nous sommes une dizaine de prisonniers canadiens, enfin ceux qui parlent français. Je ne peux pas différencier les Canadiens anglais des Américains. Il fait froid, l'hiver est de plus en plus dur. Mon éternelle soupe aux patates pourra-t-elle tenir sa promesse de me maintenir assez au chaud pour que je puisse survivre? J'ai remarqué ce matin que depuis quelques jours je ne maigris plus. J'ai perdu au moins 40 livres. Est-ce bon signe ou mauvais signe que d'arrêter de maigrir?

Jour 11

La ville de Dresde est très bombardée. Partout où je regarde, tout n'est que ruine enflammée. Nous circulons à travers les badauds curieux et rassemblés le long de ce qui reste des rues. Ils nous crient des injures, nous lancent des objets qu'ils ont encore la force de soulever. Je n'ai jamais vu d'êtres humains aussi amochés. Ce sont des civils, mais ils ont l'air plus pitoyables que nous. La guerre leur tombe sur la tête, ils n'ont plus d'autre protection que leurs prières. Cette foule, aux visages émaciés et aux yeux exorbités, nous regarde passer, nous les ennemis vainqueurs. Je suis convaincu qu'ils ressentent que leur guerre est bien pire à supporter que la nôtre. J'interprète la charge de haine que transporte leur regard comme un pas de plus vers ma liberté.

Jour 12

Le convoi des damnés grossit tous les jours. Nous faisons un grand détour et revenons vers la frontière polonaise. Les Allemands ont l'air de vouloir éviter de passer là où les combats sont trop violents. La neige est bel et bien tombée pour rester. Le froid est dur à combattre sans graisse corporelle et sans vêtements. Je nous fais penser à ces petits oiseaux qui ont l'air fragile et qui réussissent à passer l'hiver avec nous à des températures bien en dessous de zéro. La neige nous attaque de l'extérieur et le froid nous piège par en dedans. Les dents claquent, la peau durcit et, quand le froid ambiant la blanchit, je crains qu'elle n'éclate comme mes lèvres qui ne sont plus que des plaies suintantes. Pendant la nuit, pour essayer de se réchauffer, on se regroupe cinq ou six gars, on se partage des souffles résiduels presque tièdes qui insufflent une impression de chaleur. Cette proximité du corps est un geste de survie, une offrande à la vie pour qu'encore cette nuit elle nous fasse la grâce de demeurer parmi nous.

Jour 19

La fabrique de sucre est déjà un lointain souvenir un peu brumeux. Comme j'étais gras et actif en ce temps-là ! Notre colonne de morts-vivants s'étire comme une vieille ride. Nous sommes autour de 20 000 hommes en comptant les Anglais et les Australiens. On se traîne quatre par quatre en poussant nos savates. Il y a quelques jours, juste derrière Grégoire et moi, deux Anglais assoiffés décident de sortir du rang pour aller se quêter un peu d'eau. Leur soif devait être intolérable et leur esprit quelque peu confus, ils connaissaient très bien, comme nous tous, l'interdiction formelle de quitter les rangs sans la permission des gardes. Les Allemands ont crié deux fois. Nos compagnons anglais ne devaient pas entendre le cri de tous ces prisonniers qui les invectivaient, d'une seule voix forte et émue, de revenir tout de suite dans le rang. Ils avaient faim et soif, ils avaient décidé d'aller se rassasier, il n'y avait rien pour les arrêter si ce n'est ces coups de feu qui ont retenti par-dessus le brouhaha. Pour de l'eau, pour sentir la texture douce et fraîche de cette source divine responsable de toute vie. Être tué pour avoir cherché l'illusion de vivre encore un peu. Je les comprends très bien, ces désespérés, même si je garde encore suffisamment de force morale pour éviter ces gestes extrêmes. La faim est insoutenable, à chaque mouvement un peu brusque, elle provoque un espèce de «blackout» dans ma tête. D'un coup, et pour quelques secondes, tout devient noir et en mouvement autour de moi, comme si le néant tentait de m'entraîner dans une danse maléfique.

Jour 20

Tiens donc! Ce matin la température est plus clémente. C'est moins froid et on sent un peu le soleil. C'est drôle cette manie que j'ai développée de récupérer dans les détails banals du quotidien un peu de bien-être. Notre interprète paraît plus léger lui aussi. La présence bienfaitrice du soleil ne fait pas qu'effleurer notre peau déjà abîmée, elle nous annonce que l'on se dirige vers Leipzig. Encore un détour! C'est à n'y rien comprendre et, dans le fond, je m'en fous.

Grégoire et moi, on partage tout. Nos âmes semblables se sont sans doute reconnues. Vers midi aujourd'hui, nous étions tranquilles, presque en vacances, assis dans un champ de foin séché près du camp; il faisait beau, un peu plus chaud, les grondements des bombardements étaient assourdis par la distance et on entendait presque le silence s'imposer. Rien de spécial n'attirait notre attention, nous parlions peu, la parole demande quelquefois un effort qui nous semble superflu. Une sentinelle se dirige vers nous. Je me tourne vers Grégoire et on se demande d'un regard ce qu'il peut bien vouloir celui-là. De toute façon, il parlera dans le vide, on ne comprend ni l'allemand ni le serbe et, s'il veut des amis, il ira se faire voir ailleurs. Tout ce discours silencieux et éloquent transmis par une petite mimique bien entendue.

— Bonjour les gars! nous lance le garde à quelques pieds de nous.

Tiens! Un Français, se confient nos regards. Un Français dans l'armée allemande. Un jeune homme qui avait cru choisir le bon bord et qui commence à douter du bien-fondé de sa décision.

— Qu'est-ce que tu comptes faire après? Tu risques de connaître une bizarre de fin de guerre, que je lui dis en regardant juste au-dessus de sa tête. Je ne souhaite pas croiser son regard qui parle, je ne souhaite pas que l'empathie s'empare de moi. Lui, c'est l'ennemi.

— Les Alliés vont te recevoir comme un traître, lui dit Grégoire en le fixant bien profondément entre les deux sourcils.

Il est parti, en pleurant comme un enfant qu'il était.

Jour 26

Les priorités fixées par la survie ne coïncident pas toujours avec mes impulsions d'écriture. Ce n'est pas que je n'ai rien à raconter mais, plus souvent qu'autrement, le soir me trouve tellement crevé que même mes pensées me paraissent lourdes à porter. La neige est toujours avec nous et l'hiver nous semble de plus en plus difficile à supporter. Sans compter que plus on avance, moins nous recevons de nourriture. Le vent charrie des rumeurs de colis provenant de la Croix-Rouge. Pourtant, à voir nos rations de souris, on a envie d'engueuler le vent colporteur de mensonges. Un soir, cependant, les Allemands mangeaient du chocolat.

Jour 27

Nous avons finalement reçu les fameux colis de la Croix-Rouge. J'ai mangé ma portion de chocolat! C'est fou comme les petits gestes banals prennent des proportions insoupçonnées quand on les redécouvre enfouis derrière un grand voile noir. Le chocolat est un baume et pas seulement pour mes papilles. Il est doux et onctueux pour tout mon être. Il me réconcilie avec la vie, avec ma vie qui quelquefois perd de son sens. Pour la première fois depuis le débarquement, je pense à tous ces gens, des civils probablement, certainement des femmes, qui préparent toutes ces bonnes choses pour moi. Elles ne me connaissent pas, je fais partie d'un groupe anonyme soudé pour une cause, une lutte ou un espoir. Il faut dire que mes contacts avec l'extérieur sont totalement inexistants. Depuis que je suis prisonnier, je ne reçois rien à mon nom, rien de personnel, aucun paquet, ni l'ombre d'une lettre. J'imagine que ma famille ne sait pas trop comment fonctionne la communication avec un prisonnier de guerre en pays étranger. J'espère que ma mère va bien et que mon père garde espoir, il est le seul capable d'imaginer ce que je vis. Je ne sais même pas, par contre, s'ils savent que je suis vivant. Le chocolat me transporte ailleurs, c'est doux, mais je m'ennuie.

Jour 30

Nuremberg, trois jours à réparer des lignes de chemins de fer bombardées par les Alliés. Plus ça change, plus c'est pareil!

Jour 31

Stuttgart était vraiment une grosse ville, mais on la trouve complètement bombardée par les

Américains. Le bruit est diabolique. Je me demande comment j'arriverai à supporter le bruit une fois débarrassé de cet enfer. C'est la nuit, et le ciel est luisant comme en plein midi. La lumière est pourtant loin d'être radieuse, une lumière trop crue qui fait grossir tous les défauts que nous souhaitons tellement dissimuler. Une lumière grossière, obscène, trop explicite pour les mouvements. Je pense à tous ces gens qui sont sous les bombes, des civils innocents, quelques soldats. Il y a une industrie militaire dans cette ville, des fabricants de canons et de chars d'assaut. L'aviation américaine leur tourne autour comme une toupie écervelée.

Jour 32

La neige est en eau. Je suis trempé, gelé, humide. Nous tremblons de froid, notre maigreur s'entend clairement à travers les claquements morbides de nos os. Ma couverture de laine est imbibée d'eau et elle ne remplit plus sa fonction d'imperméable. Je me couche transi, tanné. Peut-être que demain il refera soleil.

Jour 33

On a souvent changé de direction au cours de ce maudit périple. J'ai froid, j'ai faim, je suis fatigué de marcher sans but, sans jamais avoir le sentiment d'avancer. Je suis maigre à faire peur et je ne reçois presque plus de nouvelles de cette guerre. Je vis comme sur une autre planète, en enfer. Le pire est probablement le tort causé à l'esprit. Le corps aussi souffre et, un jour, grâce à sa résistance, il pourra surmonter ces précipices de l'espérance, même à notre insu. Un matin, on se lève et la blessure est cicatrisée. L'esprit, lui, est plus délicat, fragile. Tous les jours, il y a des gars qui dérapent, qui ne savent plus comment résister à toutes ces tensions. Il y a des crises de nerfs. Souvent, ces malheurs demeurent secs, remplis de rage. Les hommes ne savent pas exprimer leur peine, ils n'ont pas appris à offrir leurs larmes comme symbole de libération. Tout au long de cette traversée de l'Allemagne, ce va-et-vient jamais expliqué, les repères nous lâchent. Devant ces hommes fragilisés, je ne sais plus quoi faire, je ne sais plus quoi dire. Je me mets à penser que, dans des circonstances comme celles que nous traversons, chacun fait ce qu'il peut.

Les Allemands ont l'air nerveux. Hier nous avons appris que les troupes alliées se trouvent en Hollande. Pourrons-nous extirper de cette nouvelle quelques certitudes ?

14 février 1945

Avant de reprendre la route vers Düsseldorf, les Allemands nous servent leur bouillon habituel avec un petit pain bien brun. Je me souviens que, la dernière fois que j'ai mangé du vrai bon pain blanc, c'est sur le bateau-école juste avant le débarquement. Le pain brun est sans doute plus nourrissant, il représente quand même une vie de pauvreté et d'errance.

— Eh! Milien, il y a un wagon qui a l'air abandonné, viens, on va aller voir ce qu'il y a dedans, me chuchote Grégoire avec son regard de coquin qui laisse transparaître sans équivoque son besoin de bouger.

Le wagon est plein de navets. On regarde cela comme si on était subitement en présence du merveilleux trésor d'Ali Baba. Des navets!! On rit, discrètement, et on commence à se remplir les vêtements. On glisse des navets partout, dans les manches, dans les poches, dans le dos, sur les côtés. Nos bras suffisent à peine à les empêcher de rouler par terre. On se sent vraiment pesant, et c'est avec une démarche plutôt déséquilibrée que l'on sort du wagon. Il fait beau dehors, ce ne sont pas les rayons du soleil qui nous frappent, c'est un garde allemand. Il a les yeux exorbités, la langue pointue, son casque commence à pendre dangereusement, on voit presque de la boucane lui sortir par les oreilles;

franchement, je crois qu'il est très en colère de nous trouver en dehors des limites du camp. Au moins son arme est encore bien accrochée à son pantalon. Il s'approche, lève le bras qui tient le bâton et vlan! Sur le dos de Grégoire. Et vlan! Sur mon dos. Il s'acharne sur mon ami, il frappe sans arrêt, comme en transe. Grégoire se met à crier comme un fou, l'effet est immédiat, le garde s'éloigne de lui. Grégoire et moi on échange un regard, on relâche la tension. Le garde se retourne et, d'un élan brutal, se met à me frapper le dos et les jambes en criant et en jurant. C'est sûr que les coups font mal, je suis maigre en maudit et chaque élan du bâton atteint mes os qui sont, bien sûr, à sa disposition. Cependant, les navets amortissent le choc et moi, ben... je suis mort de rire! Je me roule par terre pour protéger ma cargaison et je ris comme un fou. Grégoire me crie:

« Arrête de rire Milien, crie câlisse y va te tuer. »

J'ai crié, il m'a lâché.

On revient au camp avec nos navets. Le garde n'a finalement jamais vu qu'on avait volé des navets. Après les coups violents, je me suis senti un peu raide, j'ai eu quelques bleus et des bosses, mais c'est sans importance. On a mangé nos navets en gang et en cachette des gardiens comme des gamins qui fument sans permission de bien bonnes cigarettes. Un petit accroc à la routine, un petit clin d'œil à la vie. Pourquoi pas, après neuf mois de détention, ce n'est pas condamnable de rire un peu.

Jour 34

Quelque chose a changé dans l'attitude des prisonniers. Quand on traverse une ville détruite par les Alliés, on dirait que l'énergie du groupe subit un soubresaut. Tout le monde crie et démontre sa joie, sa satisfaction, son plaisir. Les gars constatent les dégâts avec un air de délectation. Les gardes n'ont pas l'air d'apprécier. Nous sommes des prisonniers de l'Amérique et de l'Europe, les Allemands ne peuvent pas nous punir trop durement comme ils le font avec les soldats russes. Le traitement face aux Russes est totalement différent. Dès qu'un Russe bouge un peu, il se fait abattre sans aucune raison, sans d'autre justification que la haine que la guerre permet d'exprimer sans nuances et sans règles.

★ ★ ★

Toutes les villes qui abritent des usines de guerre, des fabrications d'armes ou de munitions sont intégralement défaites, bombardées par les forces alliées. C'est vraiment dur à voir. Düsseldorf est tellement amochée que les Allemands décident de la contourner. Ils nous font

faire des détours pour éviter les attaques meur-
trières. C'est bien certain que je ne m'en plains
pas.

Les nuits sont difficiles. Cela fait neuf mois
que je suis prisonnier. En plus de ne pas manger, de n'être jamais rassasié, je ne peux pas
compter sur un sommeil réparateur. Il m'est
difficile de trouver la source d'énergie qui me
fera passer au travers une autre journée. Très
souvent, on peut se mettre à l'abri des intempé-
ries, mais rarement on peut être assuré que nous
le serons des bombardements et du bruit infernal. Plusieurs nuits sont passées à la belle étoile.
La belle étoile! c'est une façon beaucoup trop
romantique de qualifier ces drôles de nuits de
bombardement. La pluie ou la neige nous
accompagnent, laissant nos corps paralysés de
froid. Nos vêtements deviennent humides
comme un caveau à légumes. Pendant ces nuits,
même nos rêves sont complètement hors de
notre portée.

Le jour, la marche est pénible, mes sabots
sont complètement hors d'usage, cela fait longtemps que je marche sur mes propres talons
avec un semblant de bottines dans les pieds. Le
soir, quand je regarde mes pieds, j'ai l'impression qu'ils appartiennent à un lépreux. Je bouge
mes orteils et je ne sens pas grand-chose d'autre
qu'une grande tristesse. Je suis sale, plein de
poux dans tous mes poils. Ma barbe est longue

et mes cheveux ressemblent de plus en plus à une vieille vadrouille mouillée. Je regarde mes compagnons de ce voyage tourmenté qui se pavanent comme des morts-vivants et, subitement, l'effet miroir me rappelle que j'ai exactement la même fière allure qu'eux. Si ma mère me voyait.

1er mars 1945

Le convoi est maintenant vraiment très long. Nous sommes des milliers de séquestrés de plusieurs nationalités. Nous sommes trimballés d'un bord à un autre. On longe des frontières, on change de ville, on traverse des champs. On marche quelques milles par jour sans savoir pourquoi. Pourquoi les Allemands ne nous ont-ils pas laissés à la frontière française, maintenant que tout laisse croire que la fin de la guerre approche? Je constate que la fin de la guerre approche parce qu'aujourd'hui, pour la première fois, alors qu'on marche dans une ville, les gens nous offrent de l'eau et les gardes ne réagissent pas. C'est incroyable! Cette ville qui nous sonne l'heure de la fin est Dortmund. Je ne l'oublierai jamais.

L'autre bonne nouvelle que l'interprète nous annonce est que la marche est presque terminée. Les gardes nous amènent en un endroit précis pour encore quelques jours et ce sera fini de la promenade. On ne crie pas fort, mais on est contents. Après tous ces milles et ces milles à marcher et à travailler comme des esclaves, nous méritons un repos. Quel sorte de repos méritons-nous ? Pourquoi la marche arrêtera-t-elle ? Pour nous tuer ? Nous attendons la fin, la fin de quoi ? Pour l'instant rien n'est terminé, la fin est encore un espoir, une inquiétude, un rêve, peut-être un cauchemar, mais elle n'est certes pas une réalité.

Jour 36

On traverse Hamm et, dans l'après-midi, on passe par Gütersloh, un petit village vide. C'est très surprenant ! Il n'y a personne ! Les gardes sont anxieux. Ils ont l'air de vouloir être ailleurs. Le comble, on dirait qu'ils se foutent de nous. Les rangs sont gardés moins serrés, les commentaires se font à voix haute, ils ne sont plus seulement des murmures, le grondement de ces voix d'hommes trop longtemps retenues se met à vibrer comme une corde de contrebasse bien pincée. Le son des voix, les mouvements de nos têtes, les regards remplis de questions et, en cherchant bien, je perçois des débuts de sourires, encore bien discrets, insécures même, mais à peine voilés.

Jour 41

On se dirige vers Hanovre. Nous sommes le 6 mars. Le beau temps est finalement venu nous retrouver. Quarante et un jours de marche et de travail forcés. Grégoire et moi, on ne s'est pas lâchés. Être deux adoucit bien des difficultés. La parole n'est pas toujours au rendez-vous, on n'est pas jaseux. On sait pourtant que l'autre existe, on ressent la complicité, et cela paraît suffisant pour redonner l'élan et continuer.

★ ★ ★

Quel bonheur! Quelle belle journée! Je suis en pâmoison devant une cuve en bois remplie d'eau claire disponible et abondante pour me permettre de me laver. Doucement, je descends mes mains dans ce liquide frais, tant attendu, désiré, sacré. J'en capte quelques gouttes sur ma peau sèche, crevassée et saignante et les mains jointes, lentement avec toute la précaution que le geste exige, je plonge mon visage dans cette rigole. Instantanément, je sens la vie rebondir dans mon cœur. Un frisson parcourt mon corps décharné. Je sors du fond de mon baluchon le petit chandail et le caleçon propres que j'avais gardés soigneusement pour ce grand moment et, comme un roi qui enfile sa tenue de gala, je me glisse dans ces sous-vêtements qui me rappellent à quel point la vie peut être confortable.

Le corps exulte et, lentement, je commence à laver mes fringues. Comment décrasser ces morceaux de tissus presque difformes sans les briser davantage ?

La délicatesse de mouvement qu'oblige la faiblesse de mon être correspond parfaitement à la tâche à effectuer. Je passe de longues minutes à les bouger dans l'eau sans savon. Chaque vaguelette me rappelle une anecdote. Le regard est encore beaucoup trop immédiat pour que les événements jouissent de la distance que provoque un souvenir, mais voir ces vêtements fragilisés me transporte dans des dédales d'émotions que j'ai du mal à identifier. Ils sont incroyablement crottés, et toute cette saleté est la mienne. Au fur et à mesure que l'eau se noircit, les nœuds étouffés dans le fond de ma gorge commencent à s'ouvrir et à desserrer leur étreinte maudite. J'ai le cœur en larmes et les yeux remplis de joie. Dieu merci, je suis vivant !

Les prisonniers sont dispersés selon des consignes qui nous sont étrangères. J'accompagne maintenant des Australiens et quelques Canadiens. Le nouveau camp se trouve près de la ville de Hanovre, dans le nord de l'Allemagne. La routine continue ; les bombardements le jour et le rapiéçage de voie ferrée la nuit. Par contre, les rails sont de plus en plus lourds et on se met à dix hommes pour être capables de les faire bouger. Les paquets que la Croix-Rouge nous envoie sont plus accessibles et, malgré les vitamines et des moments de repos plus notoires, la santé demeure fragile et le corps n'a pas perdu ses allures de squelette ambulant. Après de longues heures de travail, le retour au camp est encore exténuant. Le bain, maintenant disponible, est une bénédiction, comme si avec l'eau s'écoulaient toutes les meurtrissures accumulées.

9 avril 1945

Les attaques sont cinglantes et m'étourdissent. Le bruit des bombes et des grenades est assourdissant. La guerre est incroyablement proche. Mon retour à la vie civile pourra-t-il être normal ? Le plus grand paradoxe de cette damnée guerre correspond à l'ambivalence des sentiments. La peur de mourir, la peine de voir d'autres personnes y laisser leur dernier souffle et, du même coup, le plaisir que je ressens face à tous ces bombardements. Je les sens annonciateur de bonnes nouvelles. Il est vrai qu'il y a toujours deux faces à une médaille, aussi mince soit-elle. Je trouve délicat de faire la part des choses entre les préoccupations pour ma vie et celle de mes compagnons et, parallèlement, être touché et ému par le drame humain qui se vit à mes côtés. Je pense à ces hommes et à ces femmes civils, impliqués dans un combat qui n'est pas le leur, recevant des réponses pour des gestes qu'ils n'ont pas commis, des répliques qui ne leur sont pas destinées. Souvent, dans les guerres, les combats sont inégaux, bizarrement planifiés. On frappe partout sans se préoccuper de la justesse du tir. Finalement, beaucoup d'innocents deviennent victimes pendant que les vrais coupables des atrocités finissent par jouir d'un exil dans un pays ami. Toutes ces pensées se bousculent en moi pendant cette journée où nous devons demeurer immobiles à attendre de nouveaux dénouements. Pas de travail, pas de bouffe, pas de nouvelles. Que de l'attente. Les gardiens ont déserté.

La fébrilité de l'ambiance se respire goulûment. Vers 19 heures, quelques civils arrivent avec des pommes de terre.

Le bruit ne cesse pas. Plus la nuit avance, plus le bruit s'intensifie. Ça mitraille, ça pétarade, des sirènes tracent leur chemin pour atteindre nos entrailles. Je les entends se frapper à l'intérieur de moi, comme des percussions rituelles qu'on écoute de trop près. La résonance atteint le cœur et envoûte l'être. Dans cette demi-transe j'imagine la scène : tout le monde court et hurle pêle-mêle pour éviter d'être happé par cette grosse machine morbide qui veut à tout prix les dévorer. Je sais que ce n'est pas qu'imagination, je ne crois pas que mon cerveau pourrait créer semblables barbaries. Les femmes, les enfants et quelques soldats d'usine d'un bord, et les Alliés, très puissants et vainqueurs, de l'autre. Je ne dors pas. Je reste à la noirceur du temps et des idées. Si le jour peut arriver. Si la lumière peut être faite !

* * *

Le soleil commence à se dérouler lentement sur la ligne d'horizon. La rosée du matin nous repose un peu de cette nuit sans sommeil pleine de remous. L'aube, encore un peu étourdie par les ténèbres, nous brouille la vue. Des chars d'assaut s'approchent vers nous. Les mains en visière s'étirent subitement vers le ciel. Les doigts se dégourdissent et deviennent des V de la victoire. Ce sont les Américains ! Dans ce ciel déjà presque bleu, les étoiles blanches revendiquent leur espace. Les Américains viennent nous libérer. Enfin !

La joie est immense. La tension tombe dans des larmes trop longtemps retenues. Les cris sont faibles comme le corps qui lutte en vain pour se mettre à danser. Il y a trop de balancement que nous ne savons plus articuler. Dix longs mois vécus en prisonnier. Dix mois à croire régulièrement que j'allais y rester. Aujourd'hui, le 9 avril 1945, je célèbre la vie et la libération !

Les soldats américains nous rassemblent et nous saluent. Ils nous distribuent bottes et chemises en riant. Ils nous semblent très nonchalants, ils nous présentent l'arrogance permise et acceptée que les forts aiment tant afficher. Le lendemain, Grégoire et moi sommes transportés à Cologne où les forces anglaises nous ramèneront en Angleterre.

L'ESPOIR DE PAIX
ET LE RETOUR

CHAPITRE 8

L'ANGLETERRE

Nous sommes cinq. Cinq Canadiens français à être pris en charge par les Anglais. À notre arrivée à Cologne, le comité d'accueil britannique n'est pas au rendez-vous. On se regarde de travers et finalement on pense qu'il serait bien agréable de manger et de se reposer un peu avant de se rendre à leur campement.

Plusieurs maisons de bourgeois ont été abandonnées depuis le début de la guerre et celle qui est en face de nous semble vide. On reste un peu sur nos gardes, on hésite à avancer, conscients d'être encore en pays ennemi, lorsqu'une vieille dame nous crie, dans un français très convenable, qu'elle peut mettre sa remise à notre disposition. C'est un vrai luxe cette remise de riche ! On y retrouve un vieux poêle, une table et des chaises. Ces quelques meubles représentent un confort dont nous ne disposions plus depuis très longtemps. La question du logement étant réglée, il nous faut maintenant trouver à nous sustenter. La petite soupe brunâtre avec un goût plutôt imprécis, ce soir, ne nous sera pas servie. Aujourd'hui, pour la première fois depuis des années, nous devrons dénicher notre pitance. Cela correspond à un défi de taille dans cette région fortement touchée par la guerre. Il n'y a évidemment aucun magasin et les provisions semblent totalement inexistantes. Mais Grégoire veille au grain. Le vaillant Grégoire, toujours imaginatif comme un artiste, décide de partir à la chasse à la nourriture. Deux heures plus tard, son sourire en dit long sur les résultats de ses recherches.

Deux civils allemands, un peu en retrait de la route, élevaient quelques poules maigres, mais bien vivantes. Des poules drôlement attrayantes pour des regards d'affamés. Les Allemands ont donné à Grégoire trois poules et deux petits pains. Braves gens qui ont, généreusement, nourri l'ennemi. Notre corvée « souper » débute avec des airs de somptueux banquets. On coupe un peu de bois, enfin les planches qui servaient encore de mur, on allume un feu, on déplume les poules, on les prépare amoureusement pour le sacrifice qu'elles semblent consentir à notre propre survie. Notre hôtesse, qui habite dans cette grande maison ancestrale entourée de vieux meubles en bois et de longs et lourds rideaux qui n'en finissent plus de tomber, contribue à notre bombance en nous prêtant un chaudron, du sel, du poivre et quelques patates. L'odeur qui se dégage de notre festin rejoint directement nos rêves les plus cochons. Juste à regarder la viande changer de couleur, je me sens nourri, rassasié, satisfait. Après trois heures de douce, lente et interminable attente, nous prenons place le cœur léger et les mains agiles pour déguster ces volailles bénies.

Je suis demeuré deux jours sans bouger. Deux jours complets accompagnés de leur nuit, à rejeter hors de mon corps trop frêle ce sublime repas. Mon ventre se retourne sans cesse comme pour me demander dans quelle horreur si douloureuse je l'ai encore conviée. La belle poule nous est tombée dans l'estomac fragilisé par notre long jeûne comme une pierre coupante et vengeresse.

Les Anglais nous ont rapidement installés dans un hôtel réquisitionné par l'armée. Ils nous fournissent lavage et vêtements neufs, que nous recevons avec plaisir en attendant de revêtir nos uniformes canadiens. Le lendemain, un avion anglais nous ramène à Londres.

★ ★ ★

Le camp canadien est bien installé et tous les soldats qui arrivent, soit du front, soit des camps de prisonniers, s'y entrecroisent. Certains y sont déjà depuis longtemps pour terminer leur convalescence, mais tous n'ont qu'un seul objectif, être en transit le moins de temps possible et se faire rapatrier. Ils espèrent le retour vers la patrie. Pour les officiers canadiens, il est formellement hors de question de nous laisser revenir en Amérique dans un état aussi lamentable, aussi maigres et chétifs. Après un service de barbier, ils se mettent en tête de nous faire engraisser. C'est parti ! Des vitamines, des liquides sucrés, de la bouffe en abondance. Pour obéir aux ordres et démontrer ainsi ma bonne volonté, je retourne manger ces délicieuses crêpes espagnoles que j'aimais tant, juste avant de quitter pour ma mission de sauvetage en Normandie.

Ma guerre est finie, la guerre achève. Pour la première fois, je réalise que j'ai hâte de revenir à la maison. Je me sens prêt à tourner cette page. Je suis disposé à laisser en Angleterre cette étrange expérience provoquée par la fougue de ma jeunesse et par mon désir de travailler. Je suis maintenant ouvert à la vie. Je souhaite vivre autre chose, une autre aventure, en paix, au Québec.

★ ★ ★

CHAPITRE 9

NEW YORK

ATTENTION! Tenez-vous bien! Rien de moins que le plus beau bateau de la flotte française : l'*Île de France*! Un navire grand comme un château, avec du beau bois brillant, de la vaisselle fragile, des rangées de chaises longues sur les ponts, un équipage bien habillé et un commandant fier comme un paon. La nourriture est excellente, le sommeil confortable, profond et réparateur. Je me promène librement, je relaxe, je flâne, je cause un peu ici et là. Je remarque que les gens qui parlent le plus sont souvent ceux qui ont le moins de choses intéressantes à raconter. Ici les têtes sont remplies de souvenirs et d'anecdotes, mais on sent que la discrétion apparaît comme le meilleur des exutoires. La majorité des soldats souhaitent prendre le temps d'intégrer ce qu'ils viennent de vivre. Je me tais aussi; enfin, disons que je préfère m'entretenir de la pluie et du beau temps. Peut-être qu'un jour je ressentirai le besoin de me raconter; pour le moment, je laisse s'empiler dans un recoin de ma mémoire les camps de travail, le sucre et les rails, les coups de bâtons et les Russes assassinés, les poux et les bombardements constants. Pour l'instant, je vais au cinéma et au gymnase.

L'*Île de France* est escorté par des navettes pour parer les éventuelles attaques. C'est peu probable, la guerre achève. Nous voguons sur l'Atlantique accompagnés d'une multitude de bateaux américains qui entrent à bon port eux aussi. Le spectacle est saisissant.

Le troisième soir de la traversée, les haut-parleurs éclatent, se mettent à résonner, les murmures se font de moins en moins discrets, l'effervescence est palpable et l'excitation est sans bornes : la guerre est finie ! Le 9 mai 1945, un mois jour pour jour après ma propre libération, la guerre en Europe est terminée. Celle avec le Japon ne tardera pas non plus à se taire. Six ans de conflits, de violence, de haine, de protection, de pleurs, de traîtrise, de souffrance, d'incompréhension, de sang et de morts viennent d'abdiquer. Cette nuit, je suis incapable de dormir. J'essaie de prendre conscience que je suis sur le chemin du retour. Je vais revoir la Gaspésie, ma famille, mes parents, mes amis. Cela fait trois ans qu'ils ne m'ont pas vu. Qu'y a-t-il pour moi au bout de cette aventure ? Qu'est-ce qui m'attend ? Qui sera au rendez-vous ?

★ ★ ★

— Alors monsieur, je vous sers quoi ?

Je suis encore perdu dans mes pensées. Un seul mot est monté jusqu'à moi, lentement, comme une barque suivant le rythme de la marée ; ESPOIR, je garde encore espoir. Le serveur qui attend est de moins en moins patient.

— Monsieur, votre déjeuner sera ??

C'est surprenant d'avoir le choix, je ne suis plus très habitué d'avoir un mot à dire concernant mes désirs. Enfin, je n'ai même plus l'habitude de désirer quelque chose.

— Oui, excusez-moi, je prendrais un déjeuner anglais S.V.P. Peut-être que j'aurais dû demander des croissants !

★ ★ ★

Quatrième journée en mer, je compte encore les jours. Le 10 mai, le printemps ! La douceur du vent. Mois de mai, mois de Marie qui a des yeux aussi profonds que l'océan. Je pense aussi à la mère de Marie, la mère de tous les êtres, la bonne sainte Anne qui n'a pas cessé de me protéger depuis mon enrôlement.

Le 10 mai, devant ces vagues impudiques et ces poissons volants, je la remercie chaleureusement de m'avoir concédé ce répit.

La vie est douce, je panse mes plaies. Je rencontre des gens comme ce gars des fusiliers Mont-Royal qui avait partagé des semaines de marche forcée avec moi en Allemagne. À Düsseldorf, nos chemins se sont séparés. Je joue aux cartes, je vais voir des films et je lis, je lis beaucoup, je contacte des mondes chimériques qui laissent planer comme une certitude, un absolu. Je fais des siestes, je converse sur la traversée, le bateau, l'équipage si bien habillé, sur le commandant tellement fier et la beauté océane.

Le dernier dîner est costaud : filet mignon, poireaux et champignons, le tout arrosé d'un bon vin et, en toile de fond qui grossit de seconde en seconde, la statue de la Liberté ! Le symbole le plus émouvant qui peut exister. La liberté ! C'est majestueux, étourdissant. J'en perds mes mots, et toute l'eau qui se balance devant moi vient se concentrer dans mon regard et mes larmes goûtent la mer. New York est grande, étendue, moderne. Ces gratte-ciel sont imposants, c'est merveilleux !

Le port est bondé à craquer. Des milliers de petits drapeaux flottent au-dessus de la foule hystérique et joyeuse. La musique envahit le port. Les soldats américains qui descendent sont littéralement écrasés sous le poids de l'amour. Ils sont embrassés et soulevés dans les airs dès qu'ils déposent un pied à terre. Malgré toute cette euphorie, je descends lentement, je suis impressionné par la manœuvre délicate de l'accostage. Je débarque avec mon petit sac qui contient mon trésor: un rasoir, un savon, une serviette, une débarbouillette, une brosse à dent, du dentifrice, mon cahier et quelques lettres. J'arrive aux États-Unis comme un quêteux, mais un quêteux qui se sent fier et victorieux.

CHAPITRE 10

LE QUÉBEC

Un capitaine et deux sergents venus de Valcartier nous saluent respectueusement au garde-à-vous et inscrivent nos noms sur des listes selon que l'on se dirige vers Québec ou vers Montréal. Avant de partir, j'envoie un deuxième télégramme à ma famille pour les aviser de mon retour prochain. Le premier avait été envoyé depuis Londres. Le même scénario se répète à Montréal. Tout le monde est venu recevoir son valeureux combattant. Comme pour un rendez-vous important, les femmes ont revêtu leur élégante robe, les mères portent leur plus beau chapeau, espérant ainsi dissimuler le trop plein d'émotions qui risque bien de surgir et les enfants courent partout, comme le font toujours les enfants quelles que soient les circonstances. Montréal peut recommencer à respirer, la vie reprendre le dessus. J'aperçois

quelques jeunes soldats comme moi, qui garde-
ront à jamais inscrites dans leur corps des traces
de cette guerre et j'espère pour eux que leur
motivation du départ ait été assez puissante
pour leur permettre de vivre sereinement avec
leur mutilation. Le train reprend lentement son
chemin, et je me dis que j'aurai certainement
d'autres occasions pour visiter Montréal.

★ ★ ★

Tous les parents, amis, épouses et enfants attendent nerveusement leur rescapé de l'horreur.
Les sourires sont fiers et soulagés. L'ambiance
est joyeuse. Le plaisir est apparent et tout le
monde est en pleurs. Larmes libératrices, ablu-
tion qui redonne à la vie ses droits sacrés.

Je ne croyais pas être attendu à Québec, ma
cousine Yvette et madame Gauvin sont là. Un
peu pour moi et un peu pour avoir des nouvelles
du capitaine Gauvin. Après les effusions
d'usage, elles m'invitent à la maison privée où
Yvette travaille comme domestique, pour que je
me repose un peu avant de reprendre mon train
en destination de Gaspé. Les patrons de ma
cousine sont très accueillants; ils ont l'air fiers
de recevoir un soldat qui a participé au débarquement de Normandie. Lui n'arrête pas de me
répéter que, sans ce débarquement, on ne pourrait pas célébrer la paix aujourd'hui. Comme la

tradition de l'hospitalité le suggère, nous avons levé nos verres ensemble à la paix et à l'amitié. D'un bon souhait à l'autre, je suis tombé malade. Je me voyais extirpé des griffes de la guerre pour mourir abattu par un élixir maléfique. J'ai dû prendre mon train deux jours plus tard que prévu. Dans le fond, ce n'est pas que j'avais «tellement» bu, je ne savais pas que mon corps n'était pas encore assez solide pour le supporter. Ce premier petit coup de célébration m'a presque autant amoché que mes quarante et un jours de marche forcée à travers l'Allemagne bombardée.

Évidemment, le train est bondé, l'atmosphère est à la fête. La foule est impatiente d'arriver. Je croise des personnes de tout le tour de la péninsule. Malgré le printemps bien amorcé dans la ville de Québec, à Grande-Rivière, il neige! Ce n'est pas vraiment rare qu'il neige au printemps en Gaspésie, mais j'aurais préféré laisser passer un petit délai avant de me retrouver encore dans la neige sans vêtements d'hiver.

Suite à mon retard imprévu, je n'ai pas avisé du moment précis de mon arrivée. Il n'y a personne à la gare pour me recevoir.

Magella Samuel, chauffeur de taxi de son état, accepte de m'amener à Pointe-à-la-Frégate. La route est mauvaise, un peu glissante, la neige est épaisse et mouillée. Il fait noir, on roule lentement. Ce serait tellement bête d'avoir un accident. La route prend l'allure et le tracé des montagnes. La grosse côte qui sépare Rivière-au-Renard de Petit-Cap doit être descendue avec beaucoup de prudence. Quelques milles plus loin se dresse un autre obstacle, mon Dieu quand vais-je arriver? Il nous faut traverser le grand portage de L'Anse-à-Valleau connu aussi sous le nom de la seigneurie du Grand Étang. Après les multiples courbes et détours du chemin, on approche enfin de la maison. Je la devine, elle est juste en bas de la deuxième côte du belvédère. Je l'ai si souvent traversée cette côte-là. La première est abrupte, courte et d'un angle difficile à monter, même à pied. Elle oblige Magella à freiner pour ne pas trop accélérer. J'ai des fourmis dans les jambes. La deuxième côte est plus longue, plus douce, elle tourne et tourne encore. J'ai des nœuds dans la gorge. À partir du moment où le taxi s'arrête devant la maison, je perds le contrôle.

C'est ma fête, c'est ma gare, mon port d'attache. On me touche, on m'embrasse, on me serre. J'entends plein de questions, des rires, des pleurs, des exclamations. Ils sont bruyants, ils sont contents. Je suis ému.

Des bras forts et puissants me tirent vers l'intérieur. C'est ma mère. Elle décide que je dois entrer dans la maison. Tout le village est réveillé par mon frère Noël qui attelle le che-val, monte sur le belvédère et revient avec

Émilienne, ma sœur aînée. Ensuite il traverse la Frégate toujours à cheval, pour aller chercher ma sœur Rita qui travaille dans une famille à l'autre bout du village. Hermel, Jacques, Euclide et Denise, mes jeunes frères et sœur, sont impressionnés. Je suis content, reconnaissant de leur fierté à mon égard, comme si ces baisers et ces démonstrations d'amour pouvaient me réconcilier avec mon geste et redonner un sens à mon destin. Le lendemain, en taxi, je vais chercher mon frère Paul qui était à Cap-au-Renard et, pendant plusieurs jours, je me promène à travers la parenté et les amis. Je suis le premier du village à revenir de l'autre bord. Les questions sont nombreuses et les curiosités insatiables. Ils m'inondent de fleurs, de poignées de mains viriles et de baisers mouillés. Tous les voisins vont et viennent, mes tantes, mon grand-père Poirier, les jumeaux Fournier que j'avais rencontrés à Valcartier, et monsieur le curé.

— Dire mon homme! raconte ma mère, que monsieur le curé voulait faire chanter ton service funèbre. On avait eu des nouvelles du ministère de la Défense nous apprenant que tu étais porté disparu!

— Mon gars, poursuit d'emblée le curé Leblanc, ta mère est une vraie Acadienne, têtue comme une mule! Elle n'a jamais voulu faire chanter ton service tant qu'elle n'aurait pas l'assurance de ta disparition définitive. Elle nous disait : porté disparu ne veut pas dire qu'y é mort. Pas de mort, pas de service, un point c'est tout !

En effet, trois semaines après cet épisode funéraire, mes parents recevaient une lettre de la Croix-Rouge leur signifiant que j'étais bien vivant, mais fait prisonnier par les Allemands. Un mois plus tard, ils recevaient une des rares lettres que j'ai pu leur faire parvenir.

La première semaine de liberté passe vite et est vraiment très belle. Tout le monde est charmant, gentil et souriant. Cela me fait plaisir de me prêter à ces retrouvailles spéciales. Je revois Nicolas Côté qui revient sur une seule jambe. Je retrouve mon vieil ami Léonidas Francœur, sergent Francœur, qui revient avec une importante blessure à la jambe. On sort ensemble, on danse, on s'amuse tellement que dans la même semaine il faut le transporter à l'hôpital de Gaspé parce que sa jambe est terriblement infectée d'avoir trop célébré.

★ ★ ★

À la fin de juin 1945, je retourne au camp militaire à Lauzon. Je suis encore soldat et ce camp m'a été désigné. Je ne suis pas très pressé de partir. Je n'ai pas le choix, un soldat doit obéir aux ordres. Je ne connais personne dans ce camp, mais le fait d'être le seul à revenir de

Une étoile est remise à tous les soldats de l'armée
canadienne qui ont d'une manière ou d'une autre participé
au règlement du conflit mondial.
Une étoile est remise à ceux qui sont
allés combattre en Europe
Une médaille est remise par le ministère
de la Défense nationale.
Une médaille est remise à ceux qui se sont enrôlés
volontairement pour participer à l'effort de guerre.
Une médaille est remise à ceux qui ont participé
activement aux combats lors
de la Deuxième Guerre mondiale.
Les deux chevrons signifient son grade de caporal
L'écusson est celui du régiment de la Chaudière.

l'autre bord me donne la chance de me faire des camarades assez rapidement. Les gars sont curieux, ils veulent tout savoir. Je réponds à beaucoup de questions, trop de questions. Je n'ai plus envie de passer tout mon temps à revivre un passé qui, somme toute, est plutôt douloureux. J'ai demandé au commandant ma décharge, je veux retourner à la vie civile.

Pour attendre la réponse, ma mère vient me rejoindre. Elle se loue une petite chambre à Québec, près de la traverse. Chaque jour, elle vient m'attendre. Si j'arrive un peu en retard, elle s'assoit sur un banc et scrute le fleuve. Quand nos regards se croisent, elle me fait des grands signes avec ses petits bras. Nous avons du temps à reprendre, ma mère et moi, alors on visite les parents et les amis. On prend de longues marches sur les plaines d'Abraham, comme deux vieux complices.

Je reçois les papiers nécessaires pour confirmer mon retour à la vie civile et une petite allocation. Ma mère m'accompagne dans les grands magasins où je m'achète quelques vêtements et une valise. On rentre à la maison. Elle, en bateau; moi, en autobus. On est arrivés en même temps!

ÉPILOGUE

JE ME SOUVIENS très bien aujourd'hui, presque 60 ans plus tard, comment je me sentais lors de ce fameux retour à Pointe-à-la-Frégate. Je trouvais le temps long. Je me suis fatigué de courir chez un voisin et chez un autre pour raconter des histoires tristes à mourir. Il n'y avait pas d'ouvrage, seulement pour la pêche et le bois. Le mois d'août était déjà arrivé, l'été filait lentement vers la morte saison.

En octobre 1945, j'ai accepté l'offre que m'avait faite mon oncle Fabien, le frère de mon père, de l'accompagner jusqu'à Matane pour traverser à Baie-Comeau. Il croyait que nous aurions plus de chance de trouver du travail de l'autre bord du fleuve. Je pense que, malgré l'enthousiasme que provoquait cette perspective, j'étais un peu tanné de traverser des grandes étendues d'eau pour m'activer. J'ai travaillé sur la Côte-Nord à faire des chemins pour le transport du bois coupé. Après quatre mois et un début de printemps tardif, je suis parti pour Mont-Louis faire du chargement de bois de corde dans les barques. Le bois était descendu par camion jusque dans la baie. Je me tenais debout avec les autres gars sur les quais flottants à pousser le bois pour qu'il s'accroche aux chaînes qui le montaient jusqu'au bateau. Par chance que l'on pouvait compter sur le courant et les marées pour éviter que le bois dérive au large, sinon il y aurait eu pas mal moins de bois sur les bateaux. Un bateau après l'autre, rempli à craquer de notre sueur journalière, reprenait la mer, lourd de sa précieuse cargaison. Plus tard, je me suis rendu à Cap-Chat pour charger du bois de sciage, des madriers et du bois carré. On devait charger les bateaux pendant au moins trois semaines, beau temps, mauvais temps. Les patrons à Cap-Chat logeaient les gars dans une auberge miteuse où des repas nous étaient servis sur des vieilles tables en bois décorées de graffiti d'amour souvent raté, des tables égratignées par des hommes seuls et fatigués. Des hommes jeunes qui semblaient se demander où pouvait bien se cacher leur avenir. Je pensais à mes jours dans ces camps de prisonniers et, à part l'absence de gardiens haineux et du bruit des bombes, je constatais que les différences n'étaient pas très grandes.

Au printemps 1946, j'ai fait un séjour de trois mois à l'hôpital à Québec pour tenter de redonner un peu de tonus à mon estomac fragilisé par un trop long jeûne. Je ne me souviens plus très bien ce que les médecins m'ont fait, mais je crois que le sucre a joué un rôle important dans le traitement. Au retour de Québec toujours en 1946, j'ai passé l'été entre Mont-Louis, Cap-Chat et chez moi.

Ensuite, selon les saisons ce fut Pentecôte, Baie-Comeau, Dolbeau, de retour à Mont-Louis et à Gaspé, puis Maniwaki et, finalement, le 12 mai 1950, après ces quelques années d'errance, je suis parti pour Montréal.

★ ★ ★

J'ai rencontré Réjeanne Déry, une Gaspésienne native de Petit-Cap, avec qui je partage encore ma vie. Nous avons eu six enfants, tous nés à Longueuil, qui nous ont donné cinq petits-enfants. Après quelques années comme débardeur au port de Montréal, j'ai travaillé dans la construction et j'ai gagné honorablement ma vie et celle de ma famille.

Après 32 années passées en ville, le goût de la Gaspésie est remonté du cœur au cerveau. En 1979, sur un coup de tête, juste après avoir terminé de rénover notre nouvel appartement sur la rue Clark, près du marché Jean-Talon, Réjeanne, les enfants (sauf Danielle) et moi sommes revenus dans mon village natal.

Aujourd'hui, je veux dédier mon histoire à mes petits-enfants. À leur tour maintenant de vivre leur propre roman.

Je veux aussi la dédier à la jeune génération pour leur donner le goût, la motivation d'apprendre l'histoire de leur pays, le Québec, le Canada ou un autre, c'est selon. D'apprendre aussi l'histoire de leurs grands-parents, afin de conserver ces souvenirs, parfois dramatiques, comme des messages d'espoir pour leur avenir.

Un avenir qu'il sera difficile de construire dans la paix. Peut-être en seront-ils capables?

C'est la grâce que je leur souhaite parce que la paix et la liberté, c'est bien mieux que la guerre.

ÉMILIEN DUFRESNE
Pointe-à-la-Frégate
Septembre 2002

TABLE DES MATIÈRES

COMPOSÉ EN PLANTIN CORPS 10,5
SELON UNE MAQUETTE RÉALISÉE PAR JOSÉE LALANCETTE
CE SECOND TIRAGE A ÉTÉ ACHEVÉ D'IMPRIMER
EN JUIN 2003
SUR LES PRESSES DE AGMV-MARQUIS
À CAP-SAINT-IGNACE, QUÉBEC
POUR LE COMPTE DE DENIS VAUGEOIS
ÉDITEUR À L'ENSEIGNE DU SEPTENTRION